ONGRIJPBARE SCHADUW

Ina van der Beek

Ongrijpbare schaduw

Spiegelserie

Zomer & Keuning familieromans

ISBN-10: 90 5977 158 3
ISBN-13: 9789059771581
NUR 344

www.spiegelserie.nl
Omslagontwerp: Hendriks grafische vormgeving

1

Langzaam wordt het stiller beneden op het terras. Mieke buigt zich zo ver mogelijk over de rand van het balkon. Maar echt iets onderscheiden daar beneden kan ze niet. Het is te donker, en vanaf de vierde etage is het ook eigenlijk net te hoog om echt contact te maken met beneden.

Ze loopt de hotelkamer weer binnen en gaat op bed liggen. Ed blijft wel erg lang weg. Ze knipt het lampje boven het bed aan en kijkt op haar horloge. Tien over twee is het al. Ze gaat op haar zij liggen en doet haar ogen dicht. Maar ze blijft klaarwakker. Ze voelt een vreemde onrust, die ze niet verklaren kan, maar die ze ook niet kan wegredeneren.

Om half twaalf is ze naar boven gegaan. Ze was moe. Sinds het begin van haar zwangerschap kan ze de hele dag wel slapen. Ed was toen juist in gesprek geraakt met een jongen die achter de bar stond. In wat moeizaam Engels vroeg de jongen of Ed misschien zin had in een potje biljart, zo meteen als z'n bardienst erop zat. Ed keek een beetje aarzelend naar haar, maar ze had meteen gezegd dat ze het prima vond, omdat ze moe was en toch graag naar boven wilde.

'Vind je het echt niet vervelend?' had Ed nog gevraagd.

Natuurlijk vond ze het niet vervelend, had ze gezegd, en dat was ook zo. Ze zijn hier nu drie dagen en Ed heeft zich al vreselijk moeten aanpassen aan haar. Eigenlijk zou ze het liefst 's avonds om negen uur al naar bed gaan, zo moe is ze steeds. En overdag voelt ze zich ook niet echt fit en zit ze het liefst maar een beetje op het strand of op een terrasje. Het is alsof ze hier nog minder energie heeft dan thuis de laatste weken het geval is geweest.

Ze is bijna drie maanden zwanger en ze weet dat dit erbij hoort. Ed is ontzettend lief voor haar en bijna overdreven zorgzaam, en daarom is het ook goed dat hij zich nu even niet hoeft aan te passen aan haar slaapbehoefte.

Hij is een echt avondmens, en ze gunt hem dat potje biljart dan ook van harte. Waarom geeft het dan toch zo'n onbehaaglijk gevoel? Het was de blik in zijn ogen, weet ze. Een onrustige, wat schuldige blik leek het wel.

Een blik die ze niet begrijpt, maar die ze eerder heeft gezien, en die haar onzeker maakt.

Twee jaar zijn ze nu getrouwd, en daarvóór hebben ze anderhalf jaar verkering gehad. Net voordat ze de trouwdatum hadden vastgesteld, heeft ze die uitdrukking in zijn ogen ook gezien. Ze waren toen met een hele groep vrienden en vriendinnen een lang weekend naar Maastricht. 's Zaterdagsavonds waren ze met z'n allen naar de film geweest, en daarna waren ze naar een terrasje op het Vrijthof gegaan. Het was er druk. Ze hadden eerst een poos binnen aan de bar gestaan. Er was een groep Duitse jongelui, waar ze mee aan de praat waren geraakt; later waren ze met z'n allen buiten op het terras gaan zitten. Toen ze terugliepen naar het appartement dat ze hadden gehuurd, was Ed erg stil geweest en had Mieke voor het eerst die onrustige blik gezien.

De dagen erna was hij stil gebleven en een week later had hij haar ten huwelijk gevraagd. Ze was volkomen verrast; ze hadden wel eens gesproken over trouwen, maar dat was voorlopig nog niet aan de orde. Maar Ed had aangedrongen en zij was snel overtuigd. Ze hield van hem, en hij van haar, dus waarom zouden ze langer wachten? Hij bewoonde al ruim een jaar een leuke tweekamerflat, dus woonruimte was ook het probleem niet. Zo zijn ze getrouwd. En het gaat allemaal prima. Natuurlijk zijn er wel eens kleine ergernissen of meningsverschillen, maar ze is nog steeds verliefd op hem. En hij is nog even zorgzaam en lief voor haar als de eerste dag.

En nu is ze zwanger! Ed is nog enthousiaster dan zijzelf en zegt iedere dag dat het een meisje moet zijn.

Mieke draait zich om, kijkt nog eens op haar horloge en doet het lampje uit. Vooruit, niet zeuren, ze gaat slapen! Ed is een volwassen kerel, ze hoeft niet als een overbezorgde moeder te blijven waken tot hij thuiskomt.

De volgende morgen wordt ze wakker terwijl de zon naar binnen schijnt. Ze heeft de gordijnen voor de balkondeur gisteravond niet goed dichtgedaan. Ed ligt naast haar en slaapt nog heel vast. Haar zorgen van vannacht komen haar nu een beetje belachelijk voor.

Heerlijk, weer zo'n zonnige dag. Ze gaat uit bed, pakt een rol biscuitjes en haar boek en gaat zachtjes het balkon op. Ze heeft honger! Ze eet zeven kaakjes achter elkaar op, maar tot lezen komt ze niet. Vanaf het balkon kijkt ze uit over de zee, die nu heel stil en blauw is. Beneden op het terras is het ook nog stil. Het is alsof iedereen nog slaapt. Zacht legt ze haar hand op haar buik. Er is nog niet echt iets te zien of te voelen, maar ze weet dat daar hun kindje groeit. Soms kan ze het nog nauwelijks geloven: zij, Mieke, wordt moeder! Soms kan haar ook een gevoel van angst overvallen: hoe zal het gaan, wat zal de toekomst brengen? Maar nu voelt ze opeens een grote rust over zich komen. God is erbij. Ook bij dit beginnende leven, ook in haar leven met Ed. Ze voelt zomaar tranen over haar wangen lopen; dat gebeurt vaker tegenwoordig; ze is erg emotioneel de laatste tijd. 'Jankerig' noemt ze het zelf. Ach, dat zal er ook wel bij horen. Ze moet opeens in zichzelf grinniken: daar zit ze nou, in haar nachtpon met een rol kaakjes in haar hand te huilen op het balkon!

Ze legt haar boek op het balkontafeltje en loopt de kamer weer binnen. Ed slaapt nog steeds. Ze gaat lekker douchen. Tegen die tijd zal Ed ook wel wakker worden. Ze verheugt zich op het ontbijt; die paar biscuitjes zijn al weer ver weggezakt!

's Middags zitten ze onder een parasol op hun gehuurde strandstoelen, dicht aan de waterlijn.

Mieke leest en Ed ligt met zijn ogen dicht. De hele dag is hij stil geweest. 'Te veel bier, te weinig slaap,' heeft hij verklaard. Hij is rusteloos. Al een paar keer is hij opeens opgesprongen en de zee in gelopen. Dan zwemt hij een eind en laat zich daarna weer zwijgend in zijn stoel zakken. Mieke moet er stilletjes een beetje om lachen. Ze weet dat hij niet goed tegen bier kan. Al na vier, vijf glazen bier wordt hij drukker dan ooit, en de volgende dag heeft hij hoofdpijn. Hij laat het bijna nooit zo ver komen; zo wijs is hij in de loop van de tijd wel geworden. Gisteravond is hij het blijkbaar weer even vergeten.

Om een uur of vijf doet Mieke haar boek dicht. 'Zullen we zo maar eens gaan?' vraagt ze. Ed knikt en springt meteen overeind. Even later lopen ze in de richting van het hotel. Mieke betrapt zich erop dat ze alweer loopt te gapen. Ze weet eigenlijk niet of ze slaap of trek heeft. Misschien allebei tegelijk.

'Erg ben ik hè?' zegt ze, maar Ed hoort haar niet. Ze schudt aan zijn arm: 'Hallo, ben ik in beeld?'

Ed slaat z'n arm om haar heen. 'Sorry, ik was er even niet bij.'

Terwijl ze op de lift staan te wachten, komen er twee meisjes de hal binnen. Ze groeten Ed en kijken naar Mieke. Daarna lopen ze druk pratend de trap op. Mieke kijkt ze na. Het valt haar op dat het ene meisje nog een paar keer over haar schouder kijkt. 'Ken je die meisjes?' vraagt ze verbaasd.

'Nou ja, kennen, ze waren gisteravond met nog een groepje aan de bar, toen ik met Dario aan het biljarten was.'

'Was het eigenlijk leuk, en hoe laat was je boven?' Ed haalt zijn schouders op: 'Mmm, gewoon en ik weet niet precies hoe laat het was, te laat in elk geval. Vanavond gaan we lekker op tijd slapen; misschien kunnen we morgen een auto huren. Dan zien we nog wat van de omgeving.'

De rest van de vakantie gaat rustig voorbij. Ed en Mieke zitten de meeste avonden op hun balkon of drinken wat op een terrasje. Wanneer Mieke Ed na een paar dagen voorstelt nog een avondje te gaan biljarten met Dario, wijst hij dat idee heel beslist van de hand.

'Ik vind het echt niet erg hoor,' zegt Mieke. 'Ik slaap zo veel, en jij bent tenslotte niet zwanger, dus wat mij betreft, kun je best een avondje je eigen gang gaan. Dan ga ik lekker vroeg naar bed.' Maar Ed wil er niet van horen: 'We zijn samen zwanger en samen op vakantie, dus we doen het samen rustig aan.'

Mieke ziet dat hij het echt meent. Ze dringt ook niet meer aan, en toch houdt ze het gevoel dat er iets veranderd is tijdens de vakantie. Ze kan het niet benoemen, er niet de vinger op leggen. Ed is zorgzaam en lief voor haar, ze praten veel over de baby, bedenken namen en maken plannen. Nog een paar keer komen ze de twee meisjes tegen. Ze groeten Ed en knikken een beetje naar Mieke. Maar het ene meisje kijkt steeds een beetje vragend naar Ed, vindt Mieke. Alsof ze iets van hem verwacht.

Maar Ed let verder helemaal niet op de meisjes. Hij lijkt ze nauwelijks op te merken.

Wanneer Mieke er nog een keer een opmerking over maakt, kijkt hij haar oprecht verbaasd aan. Ze schaamt zich bijna een beetje: gaat ze nu de jaloerse echtgenote spelen, die onraad ruikt wanneer een andere vrouw haar man een keer aankijkt? Maar het vage gevoel van onvrede blijft ergens diep in haar zitten. Ze schrijft het ten slotte maar toe aan haar hormonen. Wanneer de baby er eenmaal is, zal alles weer gewoon en goed zijn.

2

MIEKE ZIT OP DE BANK MET EEN KOPJE THEE. BUITEN REGENT HET. ZIEZO, ze doet lekker niks vandaag! Het is de laatste week van de zomervakantie. Vrijdag gaat ze naar school om haar klas alvast een beetje gezellig te maken en de eerste dingen met haar collega's door te praten. Maar vandaag is van haar.

Ed is naar zijn ouders om te helpen met inpakken. Eind van de week gaan ze verhuizen. Het huis is te groot geworden, en de tuin te bewerkelijk. Pa Smit, nog flink en vitaal voor z'n negenenzeventig jaar, had er eerst niet van willen horen: een bejaardenwoning! Het idee, het woord alleen al. Maar z'n vrouw, zesenzeventig, maar oud voor haar jaren, kan eenvoudig niet meer.

Het oude vrijstaande huis waar ze een rustig, wat teruggetrokken leven hebben geleid, is veel te groot voor haar geworden. Zij verheugt zich op de kleine bejaardenwoning, alles gelijkvloers en lekker verwarmd. Ze had al veel eerder willen verhuizen naar een wat kleinere woning, maar haar man had er niet van willen horen, en zoals altijd in haar huwelijk had ze gezwegen.

Ten slotte heeft de huisarts zich ermee bemoeid, en Eds tien jaar oudere zus Emma heeft pa er ook op aangesproken. Maatje heeft reuma. Ziet pa dan niet dat dit koude, ongerieflijke huis haar ziekte alleen maar verergert? En als er iemand is die invloed op pa heeft, is het Emma wel. Zo is het er dan eindelijk van gekomen. De overgang is best groot van het vrijstaande huis naar de bejaardenwoning. Er moet ontzettend veel worden uitgezocht en opgeruimd. Maar Emma is een paar dagen komen logeren, en Ed heeft ook een paar dagen geholpen. Toen Mieke voorstelde vandaag ook mee te gaan, heeft Ed dat heel beslist van de hand gewezen. 'Rust jij nog maar even lekker uit,' zei hij. 'Nu kan het nog. Volgende week sta je weer de hele dag voor de klas. Dan is het afgelopen met je rust. Laat onze dochter maar extra hard groeien deze week!' En eigenlijk vindt ze het wel prima zo.

Dit voorjaar zijn ze zelf verhuisd van de tweekamerflat naar een eengezinswoning. Ze heeft daarbij gemerkt dat je ook niet met te veel mensen

bezig moet zijn; dan loop je elkaar maar in de weg. En Emma heeft ongetwijfeld de touwtjes stevig in handen.

Diep in haar hart is Mieke eigenlijk een beetje bang voor Emma. Ze is zo
resoluut en zelfverzekerd. Ze hebben ook nooit echt de kans gehad
elkaar goed te leren kennen. Toen Mieke voor het eerst bij Ed thuis
kwam, was Emma al jaren getrouwd en woonde zij met haar man en drie
kinderen in het noorden van het land. Alleen met verjaardagen en soms
met de feestdagen ontmoeten ze elkaar. Marieke, de oudste dochter van
Emma en Jan, is al zestien. Mieke vindt het een beetje raar dat Marieke
tante tegen haar zegt; ze schelen nota bene maar acht jaar met elkaar in
leeftijd. Maar dat is nu eenmaal zo gegroeid. Mieke heeft meer de neiging tante te zeggen tegen Emma. Want tussen Emma en haar zit zestien
jaar verschil. En gevoelsmatig zit er wel dertig jaar verschil tussen hen,
denkt Mieke wel eens. Ze verbaast zich er vaak over dat Emma en Ed zus
en broer zijn. Zo zachtaardig en vriendelijk als Ed is, zo afstandelijk en
koel is Emma. Of misschien is het niet zo raar: Emma lijkt qua karakter
veel op haar vader, en Ed op z'n moeder.

'En jij, kleintje, op wie ga jij lijken?' vraagt Mieke zich af, zachtjes op haar
buik kloppend. 'In elk geval mag je jezelf zijn,' denkt ze. Zoals zij thuis
altijd mocht zijn wie ze was. Ze heeft dat eigenlijk nooit als bijzonder
ervaren. Pas toen ze bij Ed thuis kwam en zag hoe ze daar met elkaar om-
gingen, begon ze te zien hoe warm en gezellig zij het zelf thuis had, hoe
anders de sfeer was. Ze had altijd het gevoel dat Ed nooit zichzelf mocht
zijn thuis, dat eigenlijk niet durfde. Niemand was daar in huis ooit uitbundig. Er werd nooit hard gelachen. Zelf had Mieke altijd het gevoel
dat ze op haar tenen moest lopen en de deuren heel zachtjes achter zich
dicht moest doen. Toch was pa Smit altijd heel aardig tegen haar, en
trouwens ook tegen de rest van het gezin. Het was gewoon de sfeer.
Natuurlijk had ze er wel met Ed over gesproken, hoe hij dat voelde en
als kind ervaren had.

'Je haalde het gewoon nooit in je hoofd anders te doen of te denken dan
pa wilde,' zei hij 'en je wist verdraaid goed wat pa wilde,' voegde hij eraan
toe. 'Misschien vind je dat wel slap van me, maar op een of andere
manier durfde ik zelfs niet meer anders te denken of te willen dan pa. En

ik hield toch ook altijd rekening met maatje; haar wilde ik geen verdriet doen. Ze was altijd zo lief en zacht en probeerde altijd te sussen als er al ooit een conflict dreigde te ontstaan. "Je vader bedoelt het goed; hij heeft het beste met je voor", zei ze dan. Emma was heel anders. Zij ging dwars tegen pa in als ze het niet met hem eens was, maar op een of andere manier heb ik dat nooit gekund. Net zomin als mijn moeder dat ooit kon. Maar mijn moeder volgt hem uit liefde, en bij mij is het meer ontzag, of misschien toch ook wel een soort respect. Ik kan gewoon niet tegen hem op, Mieke.'

Ze begreep het wel; ze had dat gevoel ook een beetje wanneer ze bij hem thuis was. Pa Smit straalde autoriteit uit, dat was het.

Wanneer Ed tegen etenstijd thuiskomt, is hij stil. Mieke vindt ook dat hij er moe uitziet. Het valt haar opeens op dat hij donkere kringen onder z'n ogen heeft. 'Voel je je niet lekker?' vraagt ze. Ed haalt zijn schouders op: 'Gewoon een beetje moe.' En hij begint te vertellen over de enorme hoeveelheid boeken die bij zijn ouders op zolder liggen. 'Emma wilde ze bij het oud papier doen. Had je pa moeten horen! Alles moet mee naar het nieuwe huis. Maar waar het daar moet komen te staan of liggen, geen idee.' Hij vertelt nog wat verder over het verloop van de dag, en Mieke ziet het voor zich: Emma, die de leiding in handen wil nemen, pa, die het juist anders wil, Ed, die zich er niks van aantrekt en doorgaat met inpakken en maatje die overal tussendoor loopt en de vrede probeert te bewaren.

'Ik heb niks gemist, geloof ik,' zegt ze.

'Nee,' zegt Ed, 'dat heb je zeker niet. Het was weer als vanouds. En pa denkt geloof ik nog steeds dat Emma en ik zestien en zes zijn. Ik zal blij zijn wanneer die verhuizing achter de rug is en ik weer een beetje afstand kan nemen.' Hij slaat z'n arm om Mieke heen. 'Meisje, onze kinderen zullen zichzelf mogen zijn, laten we daar vooral voor zorgen. Als je in de loop der jaren bij mij dezelfde trekjes gaat zien als bij mijn pa, moet je me waarschuwen, beloof je me dat?' Mieke schiet in de lach. 'Als er één niet op zijn vader lijkt, ben jij dat wel.' Maar het is geen grapje van Ed, dat merkt Mieke wanneer hij er later in bed weer over begint. 'Mieke, we zullen ons kind toch accepteren zoals het is hè, ook als we dingen niet begrijpen of anders zien?'

'Ja natuurlijk, behalve als hij tot tien maanden nachtvoeding wil,' zegt Mieke.

'Nee, ik bedoel het serieus, Miek. Een kind, een mens moet de ruimte krijgen om zichzelf te zijn! Ben je dat met me eens?'

Mieke probeert hem in het schemer van de slaapkamer aan te kijken. 'Jongen, natuurlijk ben ik dat met je eens. Maar je kunt onze situatie toch niet vergelijken met die van jouw ouderlijk huis. Wij zijn toch totaal andere mensen dan jouw ouders. Dus zullen wij ook weer totaal andere fouten maken bij de opvoeding. Daar moet je, denk ik, niet al te krampachtig mee omgaan. Probeer toch je verleden achter je te laten. Jouw vader heeft ook vast het beste met je voorgehad. Je hebt toch ook wel goede, fijne jeugdherinneringen? En je bent verpleegkundige geworden, ook al vond je vader dat eigenlijk geen optie. Je bent toch, ondanks je vaders misschien wat al te grote heerszuchtigheid, geworden wie je wilde zijn? Je bent er sterker door geworden. Probeer het zo te zien. En je weet in elk geval heel duidelijk hoe je het niet wilt voor je eigen kinderen. Maar voorlopig wil je kind nu slapen, en zijn moeder moet slapen en zijn vader ook.'

Ed trekt haar dicht tegen zich aan. 'Ik houd van je, Miek,' zegt hij 'en het komt vast allemaal goed. Dit kind zal zichzelf mogen zijn. Trouwens, je hebt het over *zijn* vader en moeder, maar je bedoelt natuurlijk *haar* vader en moeder! Welterusten.'

Mieke ligt nog een tijdje na te denken over Eds woorden en de heftigheid daarin. Ze krijgt steeds meer het idee dat er in zijn jeugd veel meer aan frustraties is geweest dan zij weet. Ze denkt pa Smit en zeker Ed aardig goed te kennen, maar soms vraagt ze zich af of dat wel zo is. Misschien zou ze eens wat meer contact moeten zoeken met Emma; wellicht zal ze Ed dan beter kunnen begrijpen.

3

EMMA RIJDT DE STAD UIT. ZE IS BLIJVEN ETEN BIJ HAAR OUDERS, HEEFT DE afwas nog gedaan voor haar moeder en is na een laatste kopje koffie opgestapt. Dat kopje koffie! Ze schudt geërgerd haar hoofd. Echt weer pa. Hij verandert ook nooit! Zeven uur was te vroeg voor koffie. Zes uur eten, afwassen en dan wachten tot acht uur. Dat is koffietijd. Zo is het altijd geweest en zo moet het blijven. Natuurlijk heeft ze gewoon na de afwas koffie gezet. Ze moet nog een heel stuk rijden voordat ze thuis is, dus ze wilde niet al te laat weggaan. Ze heeft alleen koffie gedronken. Pa wilde nog niet en maatje paste zich natuurlijk aan, zoals ze zich al ruim veertig jaar aanpast. Emma had zich gewoon afgesloten voor het commentaar op dat kopje koffie. 'Flauwekul, je kunt best nog een uurtje wachten en dan naar huis gaan. Of je blijft nog een nachtje. Jan redt zich heus nog wel tot morgen met de kinderen. Zo klein zijn ze niet meer. Je hebt trouwens net gegeten. Dan is het niet eens gezond daar meteen een kop zwarte koffie achter aan te gieten.'

Ze had nauwelijks gereageerd, rustig haar koffie opgedronken en haar vader alleen even aangekeken.

'Verder nog iets, pa?' vroeg ze, toen ze opstond om haar kopje naar de keuken te brengen. Eigenlijk moet ze er nu, alleen in de auto, wel een beetje om lachen. Ze weet dat ze op hem lijkt. Alles willen regelen. Als er iets verandert, dan alleen als je het zelf voorgesteld hebt. Als ze na de afwas naar huis had willen gaan, zou hij waarschijnlijk gezegd hebben: 'Niks ervan, je zet eerst een kop koffie voor jezelf en ons en daarna ga je naar huis.' Maar nu zij het initiatief nam, had hij natuurlijk commentaar. Het is druk op de weg. Ze moet haar aandacht bij het verkeer houden. Maar wanneer ze Zwolle voorbij is, wordt het rustiger en laat ze haar gedachten weer afdwalen. Het was een beetje vreemd gevoel geweest, dat alleen logeren bij pa en maatje. Ze kan zich niet herinneren dat dat ooit eerder gebeurd is sinds haar huwelijk, achttien jaar geleden. Ze is wel eens een paar nachtjes met de kinderen geweest in de zomervakantie, maar nooit alleen. En vandaag, toen ook Ed er de hele dag was, voelde ze weer even de sfeer van zoveel jaar terug, toen ze allebei nog thuis woon-

den. Hoewel ze nooit als twee volwassen kinderen thuis hadden ge-
woond. Ed was pas tien toen zij op kamers ging wonen tijdens haar studie. Een kind nog. Maar ze kan zich nog precies voor de geest halen hoe
het toen was. En eigenlijk was het vandaag alsof die tijd was blijven stil-
staan. Pa praatte nog op dezelfde manier tegen Ed en haar als toen. Zij,
Emma, is in zijn ogen veel te zelfstandig. 'Eigenwijs' noemt pa het. En Ed
vindt hij veel te zacht, te gevoelig. Toen ze aan haar studie voor makelaar
begon, had het ook flink gestormd thuis. 'Makelaar is een beroep voor
mannen,' vond pa. Waarom werd ze geen onderwijzeres of verpleegster.
Dat was een prachtig beroep voor een vrouw. Vlak voordat ze het huis
uit ging om op kamers te gaan wonen, had ze eens tegen haar vader
gezegd: 'Volgens mij heeft uw God een foutje of een grapje gemaakt. Ik
had een jongen moeten zijn, en Ed een meisje!' In plaats van de ontplof-
fing die ze daarop verwacht had, had haar vader haar alleen maar aangekeken.
'Kind,' zei hij toen 'wat zeg je daar: mijn God? Is Hij dan ook niet jouw
God?'
Ze is de pijn in zijn ogen nooit vergeten. De pijn omdat hardop werd uitgesproken wat ze eigenlijk allebei wel wisten: haar vaders God was niet
haar God. Misschien was ze zichzelf toen pas voor het eerst echt bewust.
Eigenlijk schrok ze zelf ook van haar eigen woorden. Maar het voelde
ook als een opluchting, weet ze nu nog. En tegelijkertijd was het ook een
beetje eng: alsof ze iets heel vertrouwds losliet en alleen verder ging.
Vanaf die dag ging ze niet meer naar de kerk.
Pa had er nog een paar keer met haar over gesproken. En het is gek, maar
aan die gesprekken heeft ze goede herinneringen. Pa was toen anders
geweest, zachter leek het wel, bewogen. Maar er was niks door veranderd. Ze had haar keus gemaakt; ze probeerde het pa uit te leggen: haar
weerzin tegen de kerkdiensten, de catechisatie, de tegenzin die ze had
voelen groeien, ze wilde het niet meer. Ze wilde niet huichelen. Ze wilde
haar leven leiden zoals zij het goed dacht. Ze weet dat het haar vader en
moeder veel pijn heeft gedaan en nog doet. Soms probeert maatje erover
te praten, maar ze heeft er geen zin meer in. Ze is een volwassen vrouw,
haar leven loopt goed. Pa en maatje moeten leven zoals zij denken dat het

goed is, en dat doen Jan en zij ook met hun kinderen.

Toen ze studente was, heeft ze Jan ontmoet. Hij was juist afgestudeerd en als pedagoog begnnen met werken bij een pedagogisch adviesbureau. Jan is van huis uit rooms-katholiek, maar ook voor hem heeft het geloof geen enkele waarde meer. Ze hebben er in het begin van hun verkeringstijd wel over gepraat, maar voor hen allebei was het iets van vroeger, een stukje nostalgie misschien, niet van belang voor hun toekomst. En ze hebben het goed samen met hun drie kinderen.

Emma is steeds blijven werken. Toen de kinderen nog klein waren, wat minder uren, maar de laatste paar jaar heeft ze het weer wat opgebouwd. En ze zou ook niet anders willen. Ze houdt van haar werk. Ook al vindt pa het nog steeds niks. Ze heeft er vandaag nog aan gedacht, die uitspraak van haar van zoveel jaar geleden: dat zij een jongen had moeten zijn, en Ed een meisje. Toen ze tussen de middag een boterham zaten te eten, vroeg maatje naar Eds werk. Wat voor dienst hij de komende dagen had, en of het druk was. Emma zag pa bevriezen. Opeens was het haar ook opgevallen dat pa nooit naar haar of naar Eds werk vraagt. Opeens begreep ze het: ze hebben allebei het verkeerde beroep gekozen. Zij heeft een 'mannenbaan', en verpleegkundige vindt pa een 'mooi vrouwenberoep'. Eigenlijk moet ze in stilte lachen. Die pa heeft het ook niet getroffen met zijn kinderen! Maar het deed pijn. En ook nu ze er in de stilte van de auto weer over nadenkt, doet het nog steeds pijn. Waarom accepteert pa hen niet zoals ze zijn. Want onder haar stoere zelfverzekerde, misschien wat harde buitenkant weet ze zich het kind dat liefde nodig heeft. Bevestiging, juist ook van haar vader. Haar vader, die ze ondanks alles bewondert, liefheeft. Maatje zegt wel eens: 'Kind, je vader houdt veel meer van jullie dan hij laat merken.'

Maar Emma gaat zich steeds vaker afvragen of dat echt zo is. Houdt hij van Ed en haar of houdt hij van degenen die hij wil dat ze zijn. En hoe zit dat dan eigenlijk bij haar en haar kinderen. En bij haar en Jan? Krijgen zij bij haar wel echt de ruimte om te zijn wie ze zijn? Ze kan zich soms wel ergeren aan de gevoeligheid van Jan. En ook bij het ouder worden van de kinderen kan ze het soms wel moeilijk vinden dat ze zo heel anders over dingen denken dan zijzelf.

'O God, laat ik niet dezelfde fouten maken als mijn vader,' denkt ze.

En ze weet eigenlijk niet of het 'o God' een stopwoordje of een soort gebed is. Dan gaan haar gedachten naar Ed, haar broertje. Ook al is hij nu dertig, toch is hij nog steeds haar broertje. Eigenlijk kent ze hem nauwelijks. Voor zijn puberteit begon, was ze het huis al uit. Ze zagen elkaar in die jaren ook niet veel. Zij was druk met haar gezin en haar werk. In de weekenden kwam ze nooit bij haar ouders, om het gezeur over de zondag en de kerk te voorkomen, en als ze door de week wel eens kwam, zag ze Ed nauwelijks. Hij was druk met school en sporten.

Ze heeft wel de spanning gevoeld die er soms was tijdens de school- en studietijd van Ed. Maar ze was altijd veel te blij geweest dat ze weer kon vertrekken naar haar eigen veilige plekje, zodat ze er nooit al te lang bij stil had gestaan.

Na zijn studie was Ed gaan werken in een ziekenhuis in een naburige stad, en na een tijdje was hij op zichzelf gaan wonen.

Over meisjes hoorde Emma nooit iets. Ze dacht wel eens dat hij door het voorbeeld thuis niet bepaald geïnspireerd was om een huwelijkspartner te zoeken. Toen was Mieke in beeld gekomen. Helemaal de ideale schoondochter volgens pa. Lid van de juiste kerk en ook nog eens onderwijzeres! Wat kon pa nog meer wensen! Ondanks de lichte tegenzin die Emma had gevoeld bij die lofzangen van pa, moest ze zichzelf toegeven dat het een aardig meisje was. Hoewel ze eigenlijk ook beseft, dat ze Mieke nauwelijks kent. En dat ze misschien ook haar broer niet echt kent. En dat is toch wel jammer. Het is toch zo'n beetje haar enige familie. En ze vond Ed er niet echt goed uitzien vandaag. Hij zou toch moeten stralen om zijn aanstaand vaderschap? Of waren ze allebei weer onder invloed van de sfeer van vroeger? Ze weet het niet. Terwijl Emma de oprit van hun huis op rijdt, besluit ze opeens weer met haar eigen nuchtere ik alles maar de tijd te geven en eerst eens te gaan kijken of Jan en de meiden er geen zootje van hebben gemaakt.

4

HET IS EEN HELE RUST DAT PA EN MA SMIT EINDELIJK VERHUISD ZIJN.
Mieke heeft er zelf niet zo veel aan gedaan, maar Ed is bijna elke vrije
dag bezig geweest. Eerst met inpakken en opruimen in het oude huis, en
daarna nog met inrichten en op orde brengen van de nieuwe woning.
Maar eind september is alles dan ook echt klaar. Er staat een bord 'te
koop' in de voortuin van het lege huis, maar daar hebben ze verder geen
omkijken naar. Emma wilde het huis het liefst zelf in de verkoop nemen,
maar dat is geen haalbare kaart; ze woont veel te ver weg. Maar als makelaar kijkt ze heel kritisch naar haar collega's hier uit de omgeving.
Eigenlijk vindt ze er geen een goed genoeg.
Mieke heeft er een beetje om gegrinnikt: Emma is echt een kind van haar
vader!
Maar nu begint het leven weer een beetje rustiger te worden. De misse-
lijkheid van het begin van haar zwangerschap is helemaal over. Ze slaapt
niet meer zo extreem veel en haar weerzin tegen koffie en de geur van
gebraden vlees is ook verdwenen. Haar buik begint al aardig te groeien,
en daar is ze vreselijk trots op. Ze is nu twintig weken zwanger, dus op
de helft. 's Avonds in bed ligt ze heel stil op haar rug te wachten op het
zachte gefladder in haar buik, dat steeds duidelijker wordt. Ze wil het Ed
zo graag laten voelen, maar dat lukt nog niet. Tijden lang liggen ze
doodstil naast elkaar, hij met zijn hand op haar buik, maar het is nog te
zacht; aan de buitenkant is het nog niet te voelen.
Overdag gaat het leven zijn gewone gang weer. Ze is druk op school met
haar kleuters. Ze heeft dit jaar voor het eerst groep 1. Ze vindt het erg
leuk, maar ook bewerkelijk. De afgelopen jaren heeft ze steeds groep 2
gehad, en dat ene jaar maakt toch een heel verschil, vindt ze zelf. Die
vijf- zesjarigen zijn net wat handiger in dingen als aankleden voor en na
de gymles, jassen aantrekken bij het buitenspelen en in tal van andere
dingetjes in de klas. Ze heeft ook best een flink grote klas, dus wanneer
ze eind van de middag naar huis fietst, is ze behoorlijk moe. Na de kerstvakantie gaat ze met zwangerschapsverlof, en als alles goed verloopt,
komt ze omstreeks Pasen terug op school, maar dan voor twee dagen per

week. Voor de andere tweeënhalve dag wordt al druk gezocht naar een nieuwe collega, en zijzelf is even hard op zoek naar een betrouwbare oppas. Ed heeft in het ziekenhuis ook al aangegeven dat hij twintig procent minder wil gaan werken. En met zijn onregelmatige diensten zal het er in de praktijk op neerkomen dat ze gemiddeld voor maar één dag in de week een oppas nodig hebben. al zal dat wel een flexibele oppas moeten zijn.

Maar ze heeft nog even de tijd, vindt Mieke. Er zijn dingen die nu meer haar aandacht vragen. Het in orde maken van de babykamer bijvoorbeeld. Daar heeft ze echt zin in. En het bedenken van een naam. Ook al zoiets. Wel vernoemen, of niet. Daar zijn Ed en zij het nog niet helemaal over eens. Eerlijk gezegd ziet ze het niet helemaal voor zich: Jaap Smit! Dat is voor haar haar schoonvader, en niet de zoon van haar en Ed. Ze vindt een naam met een mooie betekenis of een bijbelse naam veel mooier. En hoewel Ed zegt dat hij Jaap nou ook niet echt een naam van deze tijd vindt, lijkt het er toch wel op dat hij ook hierin zijn vader tegemoet wil komen. Mieke begrijpt dat niet. Aan de ene kant wil Ed afstand nemen van zijn vader, maar aan de andere kant is hij nog steeds het jongetje dat alles wil doen om zijn vaders gunst te winnen.

Wanneer Mieke er op een avond weer over begint, valt Ed haar een beetje bot in de rede.

'Bedenk maar een leuke meisjesnaam, Miek, het wordt toch een meisje.'

Opeens is Mieke het zat, die steeds weer terugkerende opmerkingen dat het een meisje wordt.

'Waarom zeg je dat nou toch steeds? Dat je het leuk zou vinden als het een meisje is, is prima. Maar je weet even goed als ik dat het net zo goed een jongetje kan zijn. Is daar dan iets mis mee? Ik zag het eigenlijk steeds als een soort grapje, maar ik begin me onderhand af te vragen wat er aan de hand is. Is een zoon niet welkom? Waarom zeg je dat steeds? Ik vind het niet leuk en ik begrijp het ook niet.'

'Sorry, Miek, ik denk dat het komt doordat mijn eigen jeugd niet zo lekker liep en dat ik daardoor denk dat een meisje het gemakkelijker zal hebben met allerlei dingen dan een jongen. Het is nou eenmaal een gevoel bij me, maar je zult wel gelijk hebben. Het slaat eigenlijk nergens op. En natuurlijk ben ik net zo blij met een jongen. Hij hoeft ook helemaal niet op mijn vader of mij te lijken. Misschien valt het allemaal wel mee.'

'Hoe bedoel je? Wat is er mis mee als hij op jou zou lijken? Dat hoop ik juist,' zegt Mieke stomverbaasd.

'Kijk, op je vader lijken is weer wat anders, maar ik denk dat een karakter ook gevormd wordt door de manier van opvoeden. Af en toe begrijp ik jou helemaal niet, geloof ik.'

Ed zegt niets meer. Hij loopt de kamer uit. Even later steekt hij z'n hoofd om de hoek van de kamerdeur: 'Ik ga nog even een stukje hardlopen hoor.'

Later op de avond en ook de volgende dagen komt hij niet meer op hun gesprek terug. En Mieke ook niet. Er is een soort beklemming op haar gevallen, waar ze geen naam en geen oorzaak voor weet. Ze schuift het maar weer op haar hormonen. Wanneer de baby er eenmaal is, zal alles weer gewoon worden tussen Ed en haar; daar is ze van overtuigd. Vanaf die avond praat Ed niet meer over 'zij' wanneer hij het over hun kindje heeft, maar over 'de baby'.

De weken vliegen voorbij. Mieke is druk op school. Ze is blij wanneer de herfstvakantie begint. Even een weekje op adem komen. Maar na een paar dagen is ze het alweer zat en zou ze het liefst weer naar school gaan. Want nu ze de hele dag thuis is, heeft ze ook de hele dag tijd om na te denken. En moet ze eindelijk toelaten in haar gedachten wat ze al weken probeert weg te duwen. Er is iets met Ed. Hij wordt steeds stiller en hij ziet er slecht uit. Ze heeft al heel wat keren geprobeerd er met hem over te praten, maar hij zegt alleen maar dat er echt niks aan de hand is en dat hij zich prima voelt.

'Beetje druk in het ziekenhuis,' is het enige wat hij zegt wanneer Mieke er op een avond weer over begint.

'Laat je eens goed nakijken bij de huisarts. Misschien heb je bloedarmoede.'

'Welnee, jij ziet spoken! Ik voel me echt prima. Het komt doordat je zelf steeds dikker wordt; daardoor denk je dat een ander er slecht uitziet!'

Het moet een grapje voorstellen, maar Mieke hoort hoe geforceerd het klinkt.

'Ligt het aan mij? Ben ik veranderd door mijn zwangerschap? Zeg het me dan! Het is zo anders tussen ons dan voor die tijd! Ed, ik wil dit zo niet! Wat gebeurt er met ons?'

Ze begint te huilen.

'Je wilt toch niet zeggen dat jij er niks van merkt?'

Ed slaat zijn armen om haar heen. 'Meisje,' zegt hij, 'het komt allemaal wel goed. Ik houd van je, twijfel daar nooit aan. Ik zit misschien even niet zo lekker in mijn vel, maar dat gaat wel weer over.'

'Maar waarom zit je niet lekker in je vel? Wat is er dan? Is er iets op je werk gebeurd, heb je het niet meer naar je zin of ligt het aan mij? Zeg het me dan; hier word ik gek van! Ik kan je misschien helpen als je erover praat. Je bent zo anders de laatste tijd, Ed, zeg het me dan.'

'Het ligt niet jou, Mick, het zit gewoon in mezelf, laat me maar, het komt wel weer goed.'

Mieke kijkt hem aan.

'Wat bedoel je nou? Wat zit in jezelf? Ik wil je helpen, maar ik begrijp je niet.' Ze kijkt naar hem, ze ziet gebogen schouders, de pijn in zijn blik. Of verbeeldt ze zich dat maar?

Hij geeft haar een zoen boven op haar hoofd en laat haar los. Opeens is zijn stem weer opgewekt wanneer hij zegt: 'Ziezo, nu geen gezeur meer! Zullen we morgen eens bij de drukkerij wat boeken met geboortekaartjes ophalen? Dan kun jij daar dezer dagen alvast eens rustig in kijken en kunnen we misschien morgenavond al iets uitzoeken.'

Mieke snuit haar neus. Ach, misschien ziet ze ook wel leeuwen en beren die er helemaal niet zijn. Iedereen zit wel eens een beetje in de put. Ed is nu eenmaal een gevoelsmens. Soms trekt hij zich de dingen op zijn werk te veel aan. Hij ziet natuurlijk ook een hoop narigheid op de kinderafdeling waar hij werkt. En nu hij zelf binnenkort vader wordt, trekt hij zich dat misschien nog meer aan. Lief van hem, dat hij over de geboortekaartjes begint. Dat is weer echt Ed. De meeste mannen denken daar niet zo snel aan. Ze moet er ook wel een beetje om lachen.

'Volgens mij is dat nog wel een beetje vroeg, hoor. Laten we eerst maar

eens zien dat we uit een naam komen. Die kaartjes komen dan nog wel.'
Wanneer ze later in bed liggen, zegt Mieke steeds maar zachtjes in haar gedachten: 'Alles is goed, er is niks aan de hand, alles is goed.'

Tot ze zich opeens afvraagt, waarom ze dat steeds tegen zichzelf moet zeggen. Want het voelt helemaal niet goed.

'God, help me, help ons toch; houd ons vast, heel dicht bij U. Ik ben bang, maar ik weet niet waarvoor. Wees heel dicht bij Ed. Ik weet niet wat er is, maar U weet het. En misschien verbeeld ik het me allemaal, maar wijs ons maar de weg, Heer, houd ons en ons kindje toch vast.'

5

EIND NOVEMBER IS ER EEN PERSONEELSFEEST VAN HET ZIEKENHUIS. ED HEEFT dagen lopen denken of ze er wel of niet naar toe zullen gaan. 'Jij moet het maar zeggen, hoor,' vindt Mieke. 'Als je geen zin hebt, gaan we gewoon niet. Maar misschien is het wel goed voor je om een avondje lekker ontspannen met je collega's om te gaan. Zo vaak zie je ze niet buiten werktijd.'

'Vind jij het wel leuk? De meesten ken je niet. Vind je dat niet vervelend?'

'Welnee, ik amuseer me wel, hoor. Trouwens, een aantal ken ik er wel, en ik vind het ook wel leuk om de rest eens te zien, zeker die mensen met wie jij het meest samenwerkt. Maar nogmaals, jij beslist maar; het is jouw feestje.'

De volgende weken hoort Mieke er niks meer over en ze vraagt er ook niet meer naar. Als Ed geen zin heeft, wil ze ook niet aandringen. Voor haar hoeft het ook niet echt, maar dit is ook alweer zoiets vreemds met Ed. Voorheen vond hij het altijd reuze gezellig, zo'n feestje. En nu is het alsof hij ertegen opziet. Pas een paar dagen voor de datum zegt Ed terloops wanneer hij 's avonds weggaat om de nachtdienst in te gaan: 'O ja, Miek, als je nog zin hebt, wil ik toch zaterdagavond naar die feestavond gaan.'

Hij kijkt haar vragend aan.

'Nou, daar kom je ook lekker snel mee,' pruttelt Mieke, 'ik weet niet eens wat ik aan moet trekken.'

Maar eigenlijk is ze blij dat hij weer een beetje gewoon lijkt.

'Dan ga ik zaterdag eerst de stad in en koop ik lekker wat nieuws.'

Wanneer Ed weg is, belt ze meteen Els op. Els is al jaren haar vriendin, eigenlijk al vanaf de middelbare school, toen ze onwennig de eerste dag in de brugklas zaten. Samen zijn ze later naar de pabo gegaan. En Els kan ze altijd bellen om te gaan winkelen. Het komt er niet meer zo veel van omdat Els na haar studie naar Den Haag is verhuisd. Ze heeft daar een baan en een flat gevonden.

Meestal gaat Mieke met Ed naar de stad als ze wil winkelen, want dat is ook al zo'n leuke eigenschap van Ed: hij vindt het echt leuk met haar op zoek te gaan naar nieuwe kleren of cadeautjes voor de één of ander. Maar vrijdag heeft hij zijn laatste nachtdienst, dus zaterdag overdag slaapt hij. Els is meteen enthousiast wanneer ze van Miekes plan hoort. 'Weet je wat, Miek, kom naar mij, dan gaan we hier de stad in. Dan maken we er een hele winkeldag van en 's avonds ga jij in je nieuwe kleren naar je feest!'

Mieke moet lachen om het enthousiasme van Els.

'Als je het niet erg vindt, kom dan hier naartoe. Dan rijden we even naar Utrecht en dan blijf je 's middags gezellig bij mij. Want met deze buik loop ik echt geen hele dag meer in de stad.'

Ze kletsen nog even wat over hun werk en leggen dan neer.

Wanneer Mieke in bed ligt, gaan haar gedachten toch weer naar Ed, en ligt ze nog een hele tijd te tobben en zich af te vragen wat er toch met hem aan de hand is. Of verbeeldt ze zich alles? Zal ze er zaterdag met Els over praten? Of toch maar niet? Of zal ze Emma eens bellen? Maar ja, wat dan? Wat zou ze moeten zeggen of vragen? Ze komt er niet uit. Eerst maar eens kijken hoe het allemaal loopt zaterdag. Misschien is er helemaal geen gelegenheid voor een vertrouwelijk gesprek. Zoiets moet je ook niet forceren. Eerst moet ze nu slapen. Morgen wachten er weer negenentwintig kleutertjes op haar.

Wanneer Els zaterdagochtend om tien uur voor de deur staat, doet Mieke met rode ogen de deur open.

'Hé, wat is er met jou aan de hand?' vraagt Els verbaasd. 'Slecht geslapen?'

Mieke lacht een beetje waterig. Ze heeft inderdaad slecht geslapen. Toen Ed gisteravond ging werken, was hij weer zo anders, zo stilletjes geweest. De halve nacht heeft ze liggen tobben. Wat is er toch met hem aan de hand? Allerlei vreselijke ziekten zijn door haar hoofd gegaan toen ze lag te draaien in haar bed. En daarna heeft ze bedacht: 'Het ligt aan mij. Hij is op me uitgekeken; hij vindt me lelijk en onaantrekkelijk met mijn dikke buik.' En zo heeft ze de halve nacht liggen malen. Vanochtend bij het wakker worden leek het allemaal weer iets minder erg, maar ze voelt zich moe. Ze heeft het gevoel dat ze voortdurend moet huilen. En dat doet ze dan ook. Nog voordat Els haar jas uit heeft, begint Mieke al te praten, eerst nog rustig, zoekend naar woorden, maar al gauw struikelt ze over haar woorden en stromen de tranen weer. Els is neergezakt op de bank. Ze luistert alleen maar en zegt niks. Wanneer Mieke eindelijk stopt, slaat ze een arm om haar heen.

'Joh, Miek, waar ben je mee bezig, wat haal je toch allemaal in je hoofd? Zal ik eens zeggen wat ik ervan denk, als ik jou zo hoor? Ik denk dat jullie allebei heel erg moeten wennen aan jouw zwangerschap. Jij moet wennen aan je hormonen die een beetje in de war zijn en Ed, ja ik denk dat Ed gewoon erg bezig is met de verantwoordelijkheid van het vaderschap. We weten allebei hoe hij is: superverantwoordelijk voor de hele wereld, en zeker voor zijn eigen wereld. Als hij zich ziek zou voelen, was hij allang bij een arts geweest. Hij is echt niet iemand die zijn kop in het zand steekt. En dat hij niet meer van jou zou houden? Meid, de laatste keer dat ik jullie samen zag, en dat is nog maar een paar weken geleden, viel me weer op hoe zorgzaam hij met je omspringt. Juist nu je zwanger bent. Ik dacht nog: zou hij niet een leuke tweelingbroer hebben?'

Mieke lacht weer een beetje. Zoals Els het zegt, klinkt het eigenlijk wel heel logisch, en wat ze zegt over Ed, is ook waar. Er valt opeens een last van haar af. Natuurlijk heeft Els gelijk! Ze lijkt wel niet goed snik zulke dingen te bedenken en ook nog hardop uit te spreken. Het lijkt een soort verraad van Ed. Maar als ze dat voorzichtig probeert over te brengen aan Els, schudt die haar hoofd.

'Welnee, dat is geen verraad. Het is goed je gevoel en gedachten onder woorden te brengen. En ik weet wel dat ik het niet echt voor je kan oplossen: want het gevoel dat jij hierover hebt, zul je misschien de komende tijd best toch wel weer hebben. Maar probeer het dan een beetje logisch te beredeneren, zoals ik het net deed. En je zult zien, als straks die kleine gup er is, vallen alle stukjes vanzelf weer op hun plaats. Jij wordt weer evenwichtiger, en Ed merkt vanzelf dat vader-zijn voorlopig niks meer inhoudt dan luiers verschonen en 's nachts wakker gemaakt worden. En tegen de tijd dat de grote, boze wereld dichtbij begint te komen voor zijn kleine guppie, is hij er aardig aan gewend vader te zijn en groeit hij daar vanzelf in mee. Ziezo, en nu gaan we koffie zetten en houd jij je hoofd even onder de kraan.'

Wanneer ze even later aan de koffie zitten, voelt Mieke zich echt kilo's lichter. Dat is zo lekker bij Els: ze probeert niet je problemen uit je hoofd te praten door ze als onzin van tafel te schuiven, maar ze neemt ze serieus en helpt je ze een beetje nuchter en logisch te bekijken.

'Bedankt joh,' zegt ze 'enne... zeg maar niks tegen Ed hoor, anders gaat hij zich hier weer zorgen over maken.'

Wanneer ze een uurtje later in de stad lopen, is er niks meer over van de onweersbui in Miekes hoofd.

Halverwege de middag komen ze weer thuis. Ed is al uit bed en loopt fluitend met de stofzuiger door de kamer. Els kijkt Mieke even aan en zegt: 'Je weet het zeker hè, dat er geen tweelingbroer is?'

Wanneer ze 's avonds op weg gaan, voelt Mieke zich toch weer gespannen. Ed is de hele middag opgewekt en gezellig geweest. Hij kletste met Els en alle zorgen leken voorbij. Na het eten is Els weggegaan, en daarna werd Ed opeens weer stil.

'Heb je toch geen zin om te gaan?' had ze nog gevraagd.

'Natuurlijk wel,' reageerde Ed een beetje geïrriteerd. Verder is er niet meer over gesproken, en zo gaan ze op weg. In de auto kijkt ze eens van opzij naar hem. Hij heeft een frons tussen zijn wenkbrauwen die er vroeger nooit was. Mieke zucht. Maar vooruit, denk aan wat Els gezegd heeft: geen gepieker!

De avond wordt honderd keer leuker dan Mieke zich maar heeft kunnen voorstellen. Zodra ze binnen zijn, is Ed vrolijk en ontspannen, weer helemaal de oude Ed. Zo heeft Mieke hem in geen maanden meegemaakt. Eerst wordt er een drankje geserveerd en daarna is er een koud buffet. In een hoek van de zaal staat een oude piano, waar een collega van Ed halverwege de avond achter gaat zitten en laat horen dat er nog een prima geluid in zit!

Er is een gezellige, ontspannen sfeer. Mieke wordt door verschillende mensen enthousiast aangesproken over haar zwangerschap. Ze geniet van de gesprekken met de 'ervaren' moeders over baby's en alles wat daarmee samenhangt. Haar ogen dwalen regelmatig naar Ed, die zich duidelijk amuseert en ontspannen praat en lacht met zijn collega's. Eigenlijk geniet ze daar nog het meest van: Ed, die eindelijk weer eens helemaal zichzelf is.

Tegen half twaalf beginnen de eersten op te breken.

'Ja, daar heb jij nu nog geen last van, maar wacht maar, binnenkort ken je dat probleem ook: de oppas die op tijd moet worden afgelost,' zegt een collega tegen Ed. Maar al is er nog geen oppas die naar huis wil, Mieke heeft het ook wel gezien. Ze is moe en verlangt naar haar bed. Juist wanneer ze in de garderobe hun jas pakken, gaat de deur open. Met veel lawaai komen drie jongens en twee meisjes binnen.

'Hé, wat is dit? Jullie gaan toch zeker niet naar huis? De avond begint pas.'

Mieke ziet meteen dat de jongen duidelijk al een paar glaasjes heeft gedronken. Maar het is haar niet duidelijk wat voor groepje het is en wat ze komen doen. Vragend kijkt ze naar Ed. Ze ziet de rimpel weer tussen zijn wenkbrauwen wanneer hij luchtig zegt: 'Jullie zijn een beetje laat jongens, het feestje is zo ongeveer voorbij.'

Er komen nog meer mensen de garderobe binnen om hun jas te pakken, en ook zij worden enthousiast en wat lawaaierig begroet door het groepje. Dan pas begrijpt Mieke dat dit niet zomaar toevallig binnenkomende mensen zijn, maar collega's van Ed, die blijkbaar eerst ergens anders zijn geweest en nu alsnog hier wat willen drinken.

Wanneer Ed haar in haar jas helpt en zegt: 'Klaar?', vangt ze de blik van een van de meisjes.

Ze kijkt in eerlijke verwondering naar Ed en zegt: 'Nee, dat meen je niet, je wilt toch niet vertellen dat je getrouwd bent?' Opeens is iedereen stil. Het eerste moment denkt Mieke dat het een flauw grapje is van het meisje, maar wanneer ze de gezichten van de andere nieuwkomers ziet, krijgt ze het onbehaaglijke gevoel dat ze werkelijk verbaasd zijn. Ed negeert de opmerking, en met een strak gezicht zegt hij: 'Mieke, dit zijn sinds kort ook mijn collega's, Elma, Esther, Job, Peter en Erik. Jongens, dit is mijn vrouw Mieke.' De jongen die Job blijkt te zijn, verbreekt de ongemakkelijke stilte die opeens is gevallen en zegt lachend: 'Ja, Elma, dat valt je tegen hè, je dacht een knappe collega aan de haak te slaan. Nieuwe baan, nieuwe kansen?'

'Nee, helemaal niet,' verdedigt het meisje zich, 'ik dacht alleen... ach laat ook maar!' Verontschuldigend kijkt ze Mieke aan.

'Sorry hoor, ik bedoelde er echt niks mee, ik werk pas bij Ed op de afdeling en ik vond hem er gewoon nog jong uitzien, gewoon nog het type van een vrijgezel, zeg maar...'

Zich dan omdraaiend naar Job: 'Ik heb trouwens een vriend, dat weet je best.'

Ze heeft een kleur gekregen en kijkt schuin naar de andere twee jongens. Mieke kijkt ook naar hen. De een, eerder door Ed met een knikje aangeduid als Peter, staat er een beetje vermaakt bij, lijkt het. De ander, Erik, kijkt wat ongemakkelijk. Opeens heeft Mieke eigenlijk medelijden met het groepje. Ze zijn duidelijk nog heel jong; waarschijnlijk lopen ze nog stage in het ziekenhuis. Ze voelt zich plotseling veel ouder, en met een lachje zegt ze: 'Nou, in elk geval zijn dat allemaal complimenten voor mijn man. Ik bof dus maar. Want wij zijn echt getrouwd, en zoals je ziet, is Ed zelfs al bijna vader! Mensen, maak er nog een gezellige avond van. Tot ziens! Ga je mee, Ed? Je dochter en ik willen naar bed.'

Ed heeft zich zo te zien ook hersteld. Hij slaat zijn arm om Miekes schouder en roept een groet naar de achterblijvers. Zonder hen nog aan te kijken loopt hij met Mieke weg. Buiten gekomen zegt hij: 'Blijf maar even wachten; dan haal ik de auto op.'

Met grote stappen beent hij weg. Een paar minuten later komt hij al aanrijden. Zorgzaam houdt hij de deur voor Mieke open en helpt hij haar bij het instappen. Onderweg is hij stil. Mieke zegt ook niet veel. Ze is moe. Het was een lange dag. Maar ze voelt zich vooral moe van steeds weer die wisselingen bij Ed. Ze begrijpt het niet. Het ene moment is hij opgewekt, zoals vanavond, en dan opeens weer klapt hij helemaal dicht. En wat is er nu helemaal gebeurd? Een meisje dat een verkeerde opmerking maakt. Achteraf was het eigenlijk wel komisch. In elk geval niet iets vreselijks. Maar voor Ed blijkbaar wel. En dat begrijpt ze niet. Zo overgevoelig of lichtgeraakt is Ed nooit geweest.

'Hé?' zegt ze en legt haar hand op zijn knie. 'Zo erg was het toch niet wat die Elma zei? Het is toch eigenlijk een compliment? Waarom maak je je daar nou zo druk om? Kom op, laat onze avond nou niet bederven door zoiets onnozels! Ik vond het echt heel gezellig vanavond.'

Ed legt zijn hand even over haar hand heen.

'Je hebt gelijk, maar die kinderen kunnen soms echt irritant zijn.'

Mieke moet stiekem een beetje lachen, 'die kinderen', zoals Ed ze noemt, zijn eigenlijk maar een jaar of wat jonger dan ze zelf is.

'Lopen ze stage op jouw afdeling?'

Ed knikt. 'Ja, sinds een paar weken, maar met name die Elma doet alsof ze zo ongeveer de baas is en alles beter weet dan wij. Daardoor ontstaat er toch en stukje irritatie en reageerde ik misschien wat overdreven.'

Mieke is blij dat Ed er zo gewoon over praat.

'En die jongens,' vraagt ze, 'hoe zijn die?'

'Mmm, gewoon,' zegt Ed. Job en Peter redden zich wel; Erik is volgens mij te gevoelig, trekt zich alles te veel aan. Die moeten we echt een beetje in de gaten houden.'

Wanneer ze even later thuis uit de auto stappen, is de lucht weer geklaard. Ed is zijn ergernis weer vergeten en Mieke is allang blij. Ze praten nog even na over de avond en gaan dan naar bed. Binnen een paar minuten hoort Mieke aan Eds ademhaling dat hij slaapt. Zelf ligt ze nog een poos op haar rug en staart naar het donkere plafond. Ze kan er niks aan doen, maar toch bekruipt haar de onrust weer. Ed is zo anders de laatste tijd. Eigenlijk sinds de vakantie op Mallorca. Heeft hij het te druk op zijn werk? Of zou Els gelijk hebben en ziet hij op tegen het vaderschap. Of ligt het toch aan haarzelf? Of zou, en ze durft bijna niet verder te denken, zou hij verliefd zijn op een ander? Die laatste gedachte is niet nieuw voor haar, maar ze durft die gedachte voor het eerst toe te laten. Ergens weet ze dat het niet kan; dan zou ze het zeker gemerkt hebben. Maar is dat wel zo? Merk je zoiets? Of ziet de hele wereld dat eerder dan jij het zelf in de gaten hebt? De baby schopt in haar buik. Ze legt haar handen op haar buik.

'Je hebt gelijk, kleintje, geef je moeder maar eens een schop; ze haalt weer van alles in haar hoofd. We gaan eerst maar eens slapen.'

De volgende ochtend schaamt ze zich voor haar gedachten over Ed. Hij is vrolijk en heel zorgzaam voor haar. Na kerktijd gaan ze koffie drinken bij Eds ouders, en 's middags gaat Mieke lekker op de bank liggen met een boek. Ed zit aan tafel en is bezig met de voorbereidingen voor de volgende clubavond. Samen met nog twee mensen leidt hij op vrijdagavond een club van de kerk van vijftien- tot zeventienjarigen. Mieke kijkt over haar boek heen naar hem. Het leven is goed. Ze houdt van hem, en hij van haar, en over een paar maanden zal hun kleintje er zijn. Dan zal Ed zijn spanning kwijt zijn, en komen haar hormonen weer tot rust! Ze neemt zich voor voortaan al dat getob opzij te zetten en te genieten van iedere dag.

6

ANNEMARIE DE JAGER STAAT IN DE KEUKEN. VOOR HAAR OP HET AANRECHT staan drie grote taarten.

Ze zucht, pakt een mes en begint de eerste taart in punten te snijden. Erik komt naast haar staan.

'Kan ik je helpen? Anders loop ik even naar hiernaast om wat stoelen te lenen.'

'Ja goed, doe maar.' Ze hoort zelf hoe mat haar stem klinkt.

'Je hebt er geen zin in, hè? Waarom heb je dat nou niet eerder gezegd? Dan hadden we niet zo veel mensen uitgenodigd.' Hij slaat zijn arm om haar heen.

'Wel hoor! Je wordt maar één keer dertig! Ga maar gauw die stoelen halen; dan begin ik vast taart te snijden. Henk en Nelleke zijn altijd zo vroeg, die komen zo, denk ik.'

Ze probeert een opgewekte toon aan te slaan.

'Weet je het zeker?'

'Heel zeker.' Ze kust hem op zijn wang. 'Schiet nou maar op.'

Ze hoort hem fluitend de deur uit lopen.

Opnieuw zucht ze. Was die avond maar voorbij! Ze heeft er echt geen zin in. Meer dan dertig gasten verwachten ze. Ze weet dat Erik het reuze gezellig vindt. En tot voor kort was ook zij dol op dit soort feesten, met vrienden en familie.

Gisteren is Erik dertig geworden. Een paar weken geleden is hij er voorzichtig over begonnen.

Hij weet dat haar hoofd niet naar feesten staat. Ja, waar staat haar hoofd eigenlijk wel naar, tegenwoordig!

'Annemarie, wat denk je, zullen we mijn verjaardag de dag erna, op vrijdag, vieren? Gewoon lekker weer eens iedereen bij elkaar?'

Ze wilde al zeggen dat ze daar nu echt geen zin in had, maar voordat ze iets kon zeggen, ging hij verder: 'Tenslotte word ik dan dertig, toch wel een beetje een kroonjaar, zou pa zeggen?'

Toen ze zag hoe hij haar aankeek, eigenlijk zo vol verwachting als een kleine jongen, moest ze lachen, of ze wilde of niet.

'Best hoor, jij krijgt je feestje.'

Ze had er toen gewoon ook eigenlijk wel even zin in gehad. Even was het alsof dat ene er niet was. Leek alles weer zoals vorig jaar en de jaren ervoor. Alsof er niets gebeurd was.

Vlak daarna was de ; werkelijkheid al weer tot haar doorgedrongen. Waren haar verdriet en somberheid weer boven gekomen. Maar ze kon de plannen niet terugdraaien. Ze wist hoe Erik zich erop verheugde. Haar moeder zei wel eens: 'Mannen blijven altijd kinderen.' In dit geval was het wel een beetje waar!

Ergens diep in haar hart neemt ze het hem ook een beetje kwalijk dat hij zich blijkbaar wel kan verheugen op een simpel verjaardagsfeest. Is haar verdriet dan niet ook zijn verdriet?

Ze zucht nog eens en begint eindelijk de taarten in punten te verdelen.

Er wordt gebeld; daar zul je Henk en Nelleke al hebben.

'Kom meid, een vrolijk gezicht!'

Dan gaat ze opendoen.

DE MAAND DECEMBER GAAT VLUG VOORBIJ. OP SCHOOL IS HET ALTIJD EEN drukke, onrustige maand met eerst het sinterklaasfeest en direct daarna de voorbereidingen voor Kerstmis. De kinderen zijn druk, en Mieke is dan ook erg blij wanneer de laatste schooldag voorbij is en de kerstvakantie begint. Door alle drukte beseft ze nauwelijks dat nu haar zwangerschapsverlof gaat beginnen.

Ed moet allebei de kerstdagen werken, maar met oud en nieuw is hij vrij. Miekes ouders én haar schoonouders hebben gevraagd of zij een van de kerstdagen bij hen komt, maar ze heeft ervoor gekozen lekker rustig alleen thuis te blijven. Ed heeft ochtenddiensten, dus ze gaat alleen naar de kerk.

Daarna drinkt ze koffie met een boek op haar schoot. Heerlijk! Tussen de middag gaat ze een poosje liggen en voordat ze het weet, staat Ed alweer in de kamer. De avond is voor hen samen. Ed heeft gekookt; dat doet hij wel vaker in het weekend, en na het eten ruimt hij de vaatwasser in. Mieke laat zich lekker verwennen. Ze is weer op de bank gaan liggen en luistert naar de geluiden die uit de keuken komen. Ed fluit terwijl hij de laatste pannen in de vaatwasmachine zet. Tevreden doet Mieke haar ogen dicht. Het is alsof dat voor de baby een teken is om wakker te worden. Ze doet haar ogen weer open en ziet haar buik op en neer golven. Tjonge, wat gaat dat kleintje te keer! Mieke legt haar handen op haar buik. Nog ruim zes weken, dan is het zo ver. Alles is klaar. Tijdens de toch al zo drukke decembermaand hebben ze de laatste hand aan het kamertje gelegd en de geboortekaartjes uitgezocht. Ze zijn het eindelijk eens geworden over de naam. Eva als het een meisje wordt, en Ruben bij een zoon.

Zelf denkt Mieke heel sterk dat het een meisje is, maar ze spreekt dat niet uit tegen Ed. Daarvoor liggen de gesprekken bij het begin van haar zwangerschap over het geslacht van de baby haar nog te zwaar op de maag. Ed heeft het er nooit meer over, maar Mieke heeft nog steeds het gevoel dat hij het liefst een meisje wil. Ze dacht eigenlijk dat mannen altijd een zoon wilden hebben. Haarzelf maakt het echt helemaal niet uit; het is meer het voorgevoel dat het een meisje is, maar ze weet ook dat dat eigenlijk nergens op slaat. Ze is allang blij dat het de laatste weken zo goed gaat met Ed. Hij ziet er weer ontspannen uit en is opgewekt en gelijkmatig: weer helemaal de 'oude' Ed.

Oud en nieuw vieren ze samen thuis. Om half één liggen ze al op bed.

Nieuwjaarsdag gaan ze 's middags eerst even bij pa en ma Smit langs om nieuwjaar te wensen en na een kopje thee rijden ze door naar de ouders van Mieke. Het is een klein halfuurtje rijden. Ze doen het eigenlijk veel te weinig, denkt Mieke. Ze neemt zich voor straks wanneer de baby er is, wat vaker naar haar ouders te gaan. Tenslotte hoeft ze dan maar een halve week te werken, en heeft ze tijd genoeg. Haar beide broers zijn er ook. Vincent van 26, met zijn vriendin Mirjam, en Peter, die 28 is en sinds vorig jaar getrouwd met Hanneke. Wanneer ze binnenkomen, wordt ze uitbundig door haar broers begroet. 'Hé, daar hebben we ons kleine zusje! Nou ja, kleine? Ons dikke zusje kun je beter zeggen. Ontzettend, kind, voert die man van je je zo goed, of hoe zit dat?' Ze knuffelen haar om de beurt en Mieke vindt het heerlijk hen allemaal weer te zien.

Wanneer ze aan de koffie zitten, valt haar opeens op hoe anders het bij haar ouderlijk huis toegaat dan bij Eds ouders. Haar vader vraagt uitgebreid naar Eds werk in het ziekenhuis. Daar heeft Eds vader nog nooit naar gevraagd, al zo lang als hij daar werkt, weet ze. Toch wel moeilijk voor hem. Ze praten daar eigenlijk nooit over, maar Ed gaat graag naar haar ouders. Hij heeft meer gespreksstof met zijn schoonvader dan met zijn eigen vader.

Mieke praat met haar moeder en schoonzussen over de baby. Mirjams zus heeft ook pas een baby en ze is helemaal enthousiast. Peter en Vincent zijn naar buiten gegaan, en even later is ook Ed verdwenen. 'Kijk nou,' zegt Hanneke. Door het keukenraam zien ze Peter, Vincent en Ed in de boomgaard achter het huis met z'n drieën achter een oude, lekke bal aan rennen. 'Ed hoopt zeker op een jongen, hè?' zegt Mieke's moeder. 'En dan gauw een beetje groot worden en dan samen voetballen! Dat idee hebben de meeste jonge vaders, hè Jan?'

Ze lacht en Miekes vader kijkt een beetje schuldbewust.

'Nou, dat valt wel mee hoor. Met dochters heb je weer een andere, speciale band! Of niet, Miek?' Mieke lacht een beetje. 'Nou en of, pap!' zegt ze. En dat is ook zo. Ze is altijd dol geweest op haar vader. Ze trok als kind altijd meer naar hem toe dan naar haar moeder. Later, toen ze volwassen werd, is dat eigenlijk pas 'in evenwicht'gekomen.

Toch steekt het weer een beetje, die uitspraak van haar moeder, dat Ed graag een zoon zou willen. Want om de een of andere reden wil Ed eigenlijk per se een meisje. En natuurlijk mag hij een voorkeur hebben, maar ze begrijpt gewoon niet waarom. Het geeft haar het onbehaaglijke gevoel dat het iets te maken heeft met de vreemde stemmingen van Ed na de laatste vakantie. 'Nou, volgens mij wordt het een meisje, hoor,' zegt ze. 'En je hoort toch juist vaak dat mannen een dochter willen, en vrouwen een zoon. Dus misschien wil Ed juist wel een dochter.' Ze weet eigenlijk niet waarom ze dat zegt. Misschien om Ed, onbewust, te verdedigen? Maar waarom dan? Voor de anderen is het een luchtig onderwerp, alleen voor haarzelf is het beladen. Wanneer haar moeder naar de keuken gaat om een grote pan nasi te maken, betrapt Mieke zich erop dat ze nog steeds zit te tobben over de vraag waarom het voor Ed zo belangrijk is dat hij een dochter krijgt.

Na de feestdagen begint het pas goed tot Mieke door te dringen dat ze zwangerschapsverlof heeft. Eerst leek het gewoon kerstvakantie, maar nu het gewone leven weer begint, merkt ze echt dat ze vrij heeft. 's Morgens probeert ze een beetje uit te slapen, maar toch is ze er meestal vóór acht uur al uit. Ze ligt niet meer lekker, en het omdraaien gaat steeds moeizamer. De dagen waarop Ed vrij is of avonddienst heeft, zijn gezellig. Maar de dagen waarop ze overdag alleen is, duren haar lang. De babykamer is klaar, de kleertjes liggen in nette stapeltjes in de kast en haar huishoudentje is keurig op orde. 'Nestdrang' noemt haar moeder het. Iedere dag werkt ze de was weg en zorgt ze ervoor dat alles er opgeruimd uitziet. Ed lacht haar uit. 'Zo netjes is het hier nog nooit geweest. Je bent een echte huisvrouw.'

Maar ze mist de drukte van haar klas en de gezelligheid van haar collega's.

Half januari krijgt ze een telefoontje van Emma. Ze heeft de volgende dag een zakelijke bespreking in Utrecht en vraagt of het uitkomt dat ze daarna bij Ed en Mieke langs komt. Eigenlijk is Mieke vooral verbaasd: het is voor het eerst dat Emma zoiets voorstelt. Maar ze vindt het vooral heel leuk.

Ed heeft avonddienst, en Emma belooft 's avonds te blijven eten en dan na de drukte van de spits weer naar huis te gaan.

'Wie weet,' denkt ze, 'krijgen we nu wat beter contact, nu ik ook moeder wordt. Allicht krijg je dan wat meer aanknopingspunten. En misschien kan Emma me toch ook wat meer vertellen over vroeger bij hen thuis, toen Ed een kind was.'

Die nacht droomt Mieke dat ze een zoon krijgt en dat Ed woedend op haar is. Zwetend wordt ze wakker, en ze kan niet eens lachen, om het absurde van haar droom. Wanneer ze later samen aan de koffie zitten, zegt ze: 'Ed, ik droomde vannacht dat we een jongetje kregen.' Het is voor het eerst in lange tijd dat het onderwerp weer te sprake komt. Ze zegt het met enige aarzeling.

'Belachelijk eigenlijk,' denkt ze.

Dan vraagt ze op de man af: 'Maakt het je eigenlijk nog uit wat het is, of hoop je nog steeds op een meisje?' Ziezo, het is eruit; daar loopt ze toch al maanden mee te tobben.

Ed kijkt wat ongemakkelijk.

'Laten we maar niet op de dingen vooruitlopen,' zegt hij dan. 'We zien het wel, en misschien valt het allemaal wel mee.'

'Wat bedoel je,' vraagt ze, ijzig kalm opeens, 'met: misschien valt het wel mee? Voel jij je wel helemaal goed? Wat zijn dat voor idiote uitspraken?' Al pratend windt ze zich op, en de tranen lopen over haar wangen wanneer ze verder gaat.

'Weet je wat ik hoop? Ik hoop dat het een jongen wordt. En als het je niet aanstaat, dan vertrek je maar en dan voed ik hem wel alleen op.'

Huilend staat ze op en loopt naar boven. In een paar stappen heeft Ed haar ingehaald.

'Meisje toch,' zegt hij. 'Sorry, sorry, je hebt helemaal gelijk. Ik lijk wel gek. Natuurlijk is een jongen even welkom als een meisje. Het komt gewoon dat ik het vroeger thuis zo moeilijk heb gehad, maar dat is natuurlijk onzin. Je hebt helemaal gelijk: ik ben een sukkel. Alsjeblieft, niet meer huilen. Toe, kom, laten we er niet meer over praten. Vanaf nu rekenen we samen op een zoon, onze Ruben. En vooruit, als het een meisje is, kom ik ook wel over de teleurstelling heen.'

Dat laatste moet als een grapje klinken, maar zo komt het niet helemaal over. Mieke ziet wel dat Ed echt spijt heeft en dat hij geschrokken is van haar reactie.

'Kom, Miek, lekker op de bank; ik haal nog een kop koffie.'

's Middags is Ed nog maar net vertrokken, of Emma staat al voor de deur. 'Zo,' zegt ze, 'jij bent flink gegroeid!'

Met ontzag kijkt ze naar Miekes dikke buik.

Mieke lacht. 'Nou, dat valt eigenlijk wel mee. Als je sommigen ziet die bij mij op zwangerschapsgym zaten, nou daar ben ik nog niks bij.'

'Ach ja, je vergeet zo gauw hoe dik je zelf was,' zegt Emma. 'Toen ik op het eind liep van Sophie, kon ik een kopje op mijn buik zetten, zo dik was ik. Ik was toen ook bijna twintig kilo aangekomen. De verloskundige schudde op het laatst alleen nog maar haar hoofd en voorspelde me dat het er nooit meer af zou gaan. Maar een paar maanden na de bevalling was ik weer keurig op mijn oude gewicht.'

Al pratend heeft ze haar jas uitgedaan en zijn ze de kamer in gelopen.

'Ga zitten,' zegt Mieke, 'dan zet ik even theewater op. Of heb je liever koffie?'

'Nee, prima, doe maar thee.' Emma is op de bank gaan zitten, en Mieke merkt opeens dat ze toch zenuwachtig is, wanneer ze in de keuken water opzet en de theepot alvast klaarzet. 'Waar moet ik in vredesnaam met haar over praten?' denkt ze. 'We kennen elkaar nauwelijks.' Het is nog nooit eerder gebeurd dat ze zo met z'n tweeën waren. Ze treuzelt een beetje met de theepot omspoelen en zet alvast twee theeglazen neer. 'Kom op, Miek, stel je niet aan,' denkt ze en gaat weer naar de kamer.

Emma staat voor de boekenkast en leest de titels van de boeken.

'Veel boeken hebben jullie,' zegt ze. 'Lees je veel?'

'Ja, als ik tijd en gelegenheid heb, kan ik dagen achter elkaar lezen.'

Emma lacht. 'Grappig,' zegt ze. 'Dan lijk jij meer op mijn ouders dan Ed en ik. Veel verder dan eens een boek in de vakantie kom ik niet, en ik weet niet hoe dat nu met Ed is, maar wat ik me van vroeger herinner, las hij ook niet veel. Tot verdriet van pa en maatje. Want die zijn allebei echt gek op lezen, dat zul je wel weten. En ze konden zich vroeger maar niet voorstellen dat Ed en ik er eigenlijk helemaal niet van hielden. We kregen dan ook steevast ieder jaar met Sinterklaas naast de andere cadeautjes ook altijd een boek. Zo hoopten ze, denk ik, dat we toch nog eens aan het lezen zouden komen. Maar echt geholpen heeft dat niet. Tenminste, bij mij niet.'

'Nou, bij Ed ook niet echt,' zegt Mieke, terwijl ze opstaat om naar de keuken te gaan om de thee op te gieten. Wanneer ze even later met twee theeglazen weer binnenkomt, gaat ze verder: 'Ed leest in de vakanties wel eens een boek, maar het moet niet te dik zijn, anders begint hij er niet eens aan. En hoe is dat bij jullie kinderen? Zijn dat lezers?'

'Ellen wel, maar Marieke helemaal niet. Zij ziet nu al op tegen de boeken die ze voor haar eindexamen zal moeten lezen. En Sophie, nou ja, die begint eigenlijk pas een beetje te lezen. In groep drie, wanneer ze net de letters hebben geleerd, lezen ze alles wat los en vast is, tot de letters op het melkpak toe. Maar dat was bij Marieke en Ellen ook zo. Dus ik moet nog zien hoe dat bij haar gaat. In elk geval krijgen ze bij ons met Sinterklaas geen boek als ze daar niet om gevraagd hebben. Jan heeft daar gelukkig dezelfde ideeën over als ik. Want hijzelf leest wel graag, maar we zullen onze kinderen dat niet proberen op te dringen. Dat werkt alleen maar averechts, denk ik. Dat heb ik zelf ook met veel dingen gezien, vroeger thuis. Wat pa erin wilde stampen, dat wilde ik dan juist niet.'

Het is even stil. Mieke is eigenlijk een beetje verbaasd dat Emma zo losjes en ontspannen zit te vertellen over haar gezin. Ze voelt de spanning van zo-even uit zich wegtrekken. Misschien is dit het goede moment om verder te praten over vroeger. Over de Ed van vroeger en hoe het thuis toeging. Emma is tien jaar ouder dan Ed. Misschien heeft zij daardoor dingen opgemerkt die Ed nooit heeft begrepen of verkeerd heeft gezien. Maar ze heeft te lang gewacht; Emma zet haar lege theeglas op tafel en

vraagt: 'En, hoe gaat het allemaal met jou? Is de babykamer al klaar? Mag ik even kijken?'
Ze zijn weer helemaal in het hier en nu. Wanneer Emma voor de kast staat waarin naast de keurige stapeltjes hemdjes en truitjes een stapel kleine pampertjes ligt, schiet ze in de lach.
'Kijk, dat is nou zoiets waar mijn vader geen goed woord voor overheeft: papieren luiers. Ik gebruikte ze al bij Marieke, en dat was in die tijd behoorlijk vooruitstrevend. Zelfs maatje vond me toen een beetje een ontaarde moeder, omdat ik van die papieren luiers gebruikte in plaats van degelijke katoenen luiers. Bij de andere meiden werd het steeds normaler, maar pa bleef zijn hoofd schudden als een van de kinderen verschoond werd waar hij bij was.'

Om zes uur heeft Mieke twee pizza's is de oven gezet en wanneer ze later samen aan tafel zitten, komt het gesprek toch weer op vroeger. In de loop van de middag is de sfeer steeds meer ontspannen geworden. Mieke is er aangenaam door verrast. Ze had niet gedacht dat ze zich zo op haar gemak zou kunnen voelen met haar schoonzus.
Wanneer ze de pizza's op tafel heeft gezet en twee glazen melk heeft ingeschonken, gaat ze zitten. Dan schiet het door haar heen: 'Wat moet ik nou zeggen? "Zullen we bidden" of "ik zal even bidden"?' Maar als vanzelfsprekend vouwt Emma haar handen en wacht tot Mieke haar ogen weer opendoet.
'Smakelijk eten,' zegt ze. 'Ja joh, bidden voor het eten, dat doen wij nou eenmaal niet meer, en ik mis het niet. Weet je wat alleen zo raar is? Vroeger wist je na het 'amen' dat de maaltijd begonnen was, en je ging van tafel na het danken. Maar als je dat van de ene op de andere dag afschaft, ben je ook dat stukje duidelijkheid kwijt. Zeker voor de kinderen. Maar ja, daarvoor kun je het er moeilijk in houden; dat slaat natuurlijk ook nergens op.'
Mieke vindt het moeilijk hierop te reageren, maar vraagt dan toch voorzichtig: 'Ben je je geloof echt helemaal kwijt? Bid je nooit meer? Heb je dat echt helemaal losgelaten? En mis je dat dan ergens toch niet?'
'Nou weet je, ik denk dat ik nooit echt geloofd heb. Ik ging mee naar de

kerk omdat het moest, maar eigenlijk heeft het me nooit veel gezegd. In ieder geval niet op de manier waarop mijn ouders en jullie het beleven, denk ik. Ik weet eigenlijk niet goed hoe ik het moet zeggen. Ik geloof wel dat er ergens een macht is, God, als je dat wilt, maar het leeft niet voor me, ik kan me er niks bij voorstellen, ik voel er niks bij. Ik denk dat je het als mens zelf moet maken hier op deze aarde, en als er dan hierna nog iets komt, dan zal er gekeken worden of je een beetje netjes hebt geleefd, ieder het zijne geven en zo.'

Mieke blijft even stil. Moeilijk is dit. Wanneer ze voor haar kleuters staat, is het zo vanzelfsprekend en gemakkelijk om te vertellen dat de Here Jezus van ons allemaal houdt en onze vriend wil zijn. Maar daarmee hoeft ze hier niet aan te komen.

'Tja,' zegt ze dan, 'ik weet eigenlijk niet goed wat ik daarop moet zeggen. Voor mij is het een zekerheid dat God er is en dat Hij mijn hele leven in Zijn hand houdt. En dat weten is eigenlijk de basis van mijn leven. Ik zou daar niet zonder kunnen, denk ik.'

Emma haalt haar schouders op en begint over iets anders te praten. Het is duidelijk dat ze er verder niets over wil zeggen. Ze vraagt naar Eds werk, naar Miekes plannen om na de bevalling weer te gaan werken en hoe ze dat denken op te lossen wat betreft een oppas. Opeens is het half negen en staat Emma op.

'Ik moet eens gaan, joh. Het is toch altijd nog een heel stukje rijden voordat ik thuis ben. Maar ik vond het heel gezellig! Leuk om elkaar zo eens rustig te spreken. Groetjes aan Ed, sterkte met de laatste loodjes en de bevalling, en daarna komen we gauw een keertje kijken. De meiden zijn niet te houden, denk ik. Ze zijn alledrie gek op baby's!' Al pratend is ze naar de gang gelopen en dan is ze weg. Mieke doet de voordeur achter haar dicht en loopt terug naar de kamer. Ze gaat weer zitten en denkt nog een tijd na over de avond. Het was eigenlijk heel gezellig, maar de dingen die ze had willen vragen, zijn niet aan de orde gekomen. Over Ed en over vroeger. Eigenlijk weet ze ook niet precies wat ze had willen vragen of horen. Ze moet er nog maar eens goed over nadenken, en misschien komt er dan nog wel eens een gelegenheid om rustig samen te praten. Ze denkt ook na over wat Emma over het geloof zei. En over wat ze zelf heeft gezegd, of misschien juist niet heeft gezegd. Moeilijk is dat. Ze zou Emma zo graag willen vertellen wat God voor haar betekent, hoe belangrijk Hij in haar leven is. Maar ze heeft de woorden niet kunnen vinden. Ze voelt het nu als een tekortschieten. Tegenover God en tegenover Emma. Ze had haar willen zeggen dat ze zo veel mist als ze buiten de liefde van de Here Jezus leeft. Maar ze weet ook dat ze Emma niet zal kunnen overtuigen. 'Getuigen, niet overtuigen.' Dat schiet opeens door haar hoofd. Ja, zo is het. Zij kan Emma het geloof in God niet aanpraten. Dat hoeft ze ook niet. Ze besluit wel dat ze vaker voor Emma en haar gezin zal bidden. Daarin schiet ze tekort. En dat is toch het enige, maar tegelijk het beste wat ze kan doen voor haar schoonzus.

Wanneer Ed thuiskomt, ligt Mieke al in bed. Maar ze is nog wakker, en enthousiast vertelt ze hoe gezellig ze het heeft gehad met zijn zus.

Annemarie doet het licht in de gang aan.

Bah, wat is het toch al vroeg donker. Vooral met dit akelig sombere weer. Ze pakt een stapeltje folders op van de mat en neemt ze mee naar de kamer. Zal ze nog thee zetten? Ach nee, eigenlijk de moeite niet, over een half uurtje moet ze aan het eten beginnen.

Lusteloos laat ze zich op de bank zakken en bladert bijna gedachteloos de folders door.

De meeste zijn aanbiedingen van meubels en witgoed. Eén van de plaatselijke supermarkt. Ook niet echt boeiend. Ze legt ze naast zich neer.

Dan pakt ze de onderste folder. Ze slaat hem open en gooit hem dan van zich af alsof ze zich brandt!

'Alles voor uw baby,' staat er met grote letters.

Ze schopt de folder onder de bank en laat zich languit tegen de kussens vallen. Ze slaat haar handen voor haar ogen en laat haar tranen lopen totdat ze op zijn.

Zo vindt Erik haar een halfuurtje later. Ze heeft hem niet eens horen binnenkomen.

Hij knielt verschrikt voor de bank neer.

'Anne! Wat is er? Voel je je niet goed? Hé?'

Hij trekt haar handen opzij en ziet haar behuilde gezicht.

Er kraakt iets onder zijn knie. Met een schuine blik ziet hij de verfrommelde folder.

'... *uw* baby.' Meer ziet hij niet, maar dat is ook niet nodig.

7

EIND JANUARI GAAT HET EERST SNEEUWEN EN DAN HARD VRIEZEN. ER WAAIT een ijzig koude wind. Mieke komt bijna niet meer buiten. Het is overal glad van de aangevroren sneeuw. En ze voelt zich niet stevig op de been meer. Ze is zo rond als een tonnetje en bang dat ze valt. De dagen beginnen lang te duren. Ze is te ongedurig om te lezen, en het huis ziet er blinkend schoon uit, dus daar hoeft ook niet veel meer aan te gebeuren. Haar moeder komt iedere week een dag; dat breekt de tijd wel een beetje, maar verder zit ze echt te wachten. Ze weet dat het best nog een paar weken kan duren, maar ze kan de moed niet opbrengen om nog iets te gaan doen.

Op 9 februari is ze zelf jarig. Ed heeft vrij genomen, en 's middags komen zijn ouders op de thee. Miekes moeder is 's ochtends al gekomen, en 's avonds komt haar vader. Tegen haar broers heeft ze gezegd dat ze na de bevalling maar moeten komen. Ze heeft geen zin meer in drukte en visite. Maar wanneer er 's avonds om half negen gebeld wordt en ze zelf opendoet, is ze toch heel blij wanneer Vincent, Mirjam, Peter en Hanneke voor de deur staan. 'Wat dacht jij nou, zussie, dat je je verjaardag kunt overslaan? Nou, mooi niet! Van harte gefeliciteerd!'

Om half elf is iedereen weg. 'Hup, naar bed jij,' zegt Ed. 'Ik ruim wel even op.'

Even later ligt ze in het donker te luisteren naar de geluiden, die ze vaag hoort doordringen vanuit de keuken. Daarna hoort ze de stofzuiger. Zo, Ed pakt het flink aan. Dan valt ze in slaap.

Mieke heeft geen idee hoe lang ze heeft geslapen, wanneer ze wakker wordt. Het is pikdonker en stil in huis. Ze voelt een vreemde kramp in haar buik. Meteen is ze klaarwakker. Weeën, dit zijn vast weeën! 'Ed?' zegt ze, 'Ed!' en ze steekt haar hand uit. Maar haar hand voelt alleen een koud laken. Moeizaam komt ze omhoog en knipt het bedlampje aan. Eds plekje is leeg. Ze kijkt op de wekker: het is tien voor drie. Ongerust stapt ze uit bed en loopt de slaapkamer uit, naar de trap. Beneden is het ook donker. Ed! Waar is hij? Mieke zakt neer op de bovenste tree van de trap. Tegelijkertijd voelt ze weer een wee opkomen. Ze kreunt zachtjes: 'God, wat is dit?'

En terwijl ze half huilend Eds naam roept, gaat het licht onder aan de trap aan. Met een paar grote sprongen is Ed boven aan de trap. 'Miek, wat doe je? Wat is er?'

'Dat kan ik beter aan jou vragen,' zegt Mieke in tranen. 'Waar was je nou? Wat ben je aan het doen?'

'Ik zat beneden, gewoon, een beetje na te denken, ik kon niet slapen.' Ed zijn ogen staan vreemd, alsof hij heeft gehuild, en er liggen diepe kringen onder. Maar Mieke heeft nu alle aandacht voor zichzelf nodig.

'Later, later moet ik hierover nadenken en met hem praten', denk ze, 'nu niet.' Ze voelt de pijn weer wegtrekken.

'De baby, ik denk dat de baby komt.'

Ed is meteen één en al aandacht en zorg voor haar.

'Weet je het zeker, Miek? Gaat het? Kom, ik help je naar bed. Het spijt me, ach, het spijt me zo.'

Wanneer hij haar voorzichtig weer in bed heeft geholpen, is hij opeens heel rustig.

'We gaan eerst eens kijken om de hoeveel tijd de weeën komen, maar ik denk dat het allemaal nog wel even gaat duren. Probeer je te ontspannen. Misschien kun je nog een beetje slapen.' Hij komt naast haar liggen en aait zachtjes over haar buik. De rest van de nacht zakt Mieke af en toe even weg, maar echt slapen, dat lukt toch niet meer. Ze voelt zich veel te opgewonden. Ze gaat moeder worden! De onrust over Eds vreemde gedrag is ver weg; het lijkt nu niet belangrijk meer. Hij is bij haar, stelt haar gerust. Alles zal goed komen.

Om half acht staan ze op. Mieke gaat lekker douchen, en een uurtje later belt Ed de verloskundige. Het lijkt erop dat het nu toch echt gaat doorzetten. In de uren die volgen, heeft Mieke geen tijd meer om aan iets anders te denken dan de geboorte van haar kind. Ed is steeds naast haar, steunt haar, zucht mee en praat haar moed in wanneer ze moe wordt. En wanneer de verloskundige om kwart voor zeven haar zoon op haar buik legt, heeft Mieke het gevoel dat ze nog nooit zo gelukkig is geweest. Dit moment, Ed en zij samen met hun jongetje! Alle onrust en twijfel van de afgelopen maanden valt weg. Ze hebben een zoon!

Wat later, wanneer Mieke lekker fris gewassen het in omslagluiers gewikkelde pakketje in haar armen krijgt, ziet ze tranen in Eds ogen. 'Onze Ruben, onze zoon, Miek!' Er klinkt zo veel trots in Eds stem dat Mieke een beetje moet lachen. Maar ze kan het toch niet laten te vragen: 'Toch niet een beetje teleurgesteld dat het geen meisje is?'

'Hij is geweldig,' zegt Ed. 'En die zusjes van hem, die komen nog wel eens.' Daar moet Mieke nu toch even niet aan denken.

De kraamtijd is één groot feest. Zo ervaart Mieke het dan ook. Ze heeft geen hechtingen, voelt zich prima en geniet van alle bezoekjes en vooral van Ruben. Het lijkt dan ook wel een modelbaby: huilt weinig, drinkt gelijk goed en na een paar dagen is hij alweer op zijn geboortegewicht en begint dan lekker te groeien. Een 'zondagskind' noemt de kraamverzorgster hem. De hele familie komt kijken, en iedereen is even enthousiast. Voor de ouders van Mieke is Ruben het eerste kleinkind, en aan Eds kant de eerste kleinzoon. Dus over één ding zijn de beide families het helemaal eens: dit is het prachtigste, geweldigste jongetje dat ooit geboren is. Pa Smit heeft een hele poos over de wieg gebogen gestaan en toen hij weer opkeek, zag Mieke tranen in haar schoonvaders ogen. Eigenlijk had ze commentaar verwacht op de naam: een stamhouder hoort vernoemd te worden naar zijn opa. Maar pa Smit kijkt ontroerd naar de kleine Ruben en zegt heel iets anders.

'Ed, jongen, wat ben ik hier gelukkig mee! Dat ik dit meemaak: een kind van jou.' Later moet Mieke nog vaak aan die woorden denken. Op dit moment vindt ze het alleen maar lief en vertederend: die ouwe brombeer die nu zo zacht over haar kleine kereltje praat.

Wanneer de kraamverzorgster na acht dagen weg gaat, krijgt Mieke wel even een klein dipje. Opeens is ze zelf verantwoordelijk, en Ruben huilt ook wat meer dan de eerste dagen van zijn leventje. De bedoeling was dat Ed nog een paar dagen vrij zou nemen, maar doordat er erg veel zieken zijn op zijn afdeling, is dat eigenlijk niet mogelijk. Maar dan komt er opeens een oplossing uit een onverwachte hoek: Emma belt. Ze is in de kraamtijd al even langs geweest met Jan en de meisjes, maar nu ze hoorde dat Ed geen vrij meer kon nemen, biedt ze spontaan aan een paar dagen te komen. Ze kan zich gemakkelijk een paar dagen vrij maken op haar werk en eigenlijk vindt ze het wel erg leuk, zo'n kleine baby. Mieke neemt het aanbod meteen aan. In eerste instantie omdat ze geen nee durft te zeggen, maar nadat ze er even over heeft nagedacht, vindt ze het eigenlijk ook best een leuk idee. Toen Emma in januari bij haar was, heeft ze gemerkt dat dat eigenlijk best gezellig was. En tenslotte is Emma ook nog eens een ervaren moeder. Mieke merkt dat ze sommige dingen best moeilijk vindt. Wanneer Ruben een poos achter elkaar hard huilt, wordt ze toch wel een beetje zenuwachtig. Dinsdagavond om een uur of negen komt Emma.

Ed heeft avonddienst, en Mieke loopt door de kamer met Ruben tegen haar schouder. Hij huilt, en ze krijgt hem niet stil. Ze is gewoon blij dat de bel gaat en Emma binnenstapt. Niet dat Ruben daar nou stil van wordt, maar alleen al het idee dat er iemand is die ook nog heel nuchter zegt: 'Het zullen wel krampjes zijn; dat gaat vanzelf weer over,' geeft haar al een stukje rust. Wanneer Emma de baby van haar overneemt en hem zachtjes over zijn buikje wrijft, wordt hij zowaar stil.

'Poeh,' zegt Mieke 'ik krijg gemakkelijker een klas kleuters stil dan dit ene kleine jongetje.' Even later, wanneer Ruben weer in zijn wieg ligt, en Mieke een beker koffie voor Emma heeft ingeschonken, haalt Emma een cadeautje uit haar tas. 'Ik weet dat hij al kleertjes heeft gehad, maar dit zag ik van de week in een winkel, en ik kon het niet laten liggen. Ik moest aan Ed denken. Die liep vroeger ook altijd met zoiets te sjouwen.' Ze heeft het pakje aan Mieke gegeven, en die haalt een slappe lappenpop in vrolijk gekleurde kleertjes tevoorschijn. 'Die van Ed was zomaar een pop, ik geloof zelf een oude van mij, maar dit is een leerzame pop: met ritsjes en knoopjes, om de fijne motoriek te oefenen. Al zal het nog wel even duren, voordat hij daaraan toe is.'

'Wat een leuk ding,' zegt Mieke. 'Ik wist niet, dat Ed ook zo'n poppenvader is geweest.'

'O, houd op,' zegt Emma, 'hij liep altijd met die pop, en trouwens ook met mijn andere poppen; meer dan ik er zelf mee speelde. Ik heb later wel eens gedacht dat hij meer vrouwelijk hormoon had dan ik.' Mieke lacht een beetje vertederd: 'Die Ed,' denkt ze. 'Zie je, het is toch leuk om Emma eens wat meer te spreken.' Zelf vertelt Ed bijna nooit iets over vroeger en hoe hij als kind was. Het is net tien uur geweest wanneer Emma zegt: 'Weet je wat jij moet doen? Lekker je bed in gaan. Ik wacht wel op Ed, en als Ruben wakker wordt, breng ik hem wel bij je voor de voeding. Pak je vast lekker een paar uurtjes slaap mee.' Mieke vindt het eigenlijk een heel aantrekkelijk idee; ze heeft de laatste dagen het gevoel dat ze toe is aan een soort winterslaap, zo moe is ze.

'Vind je dat echt niet ongezellig?' vraagt ze nog.

'Welnee,' zegt Emma, 'ik ga lekker even voor de tv zitten; daar kom ik thuis niet vaak aan toe. En over een uurtje komt mijn broertje thuis; dan drink ik met hem nog een borrel.'

Mieke ligt nauwelijks in bed of ze slaapt al. Na een poosje wordt ze wakker van een geluid. Ze denkt eerst dat het Ruben is. Nee, het is geen babygehuil. Het is Ed. Hij praat met gedempte stem, maar het klinkt heel kwaad. Mieke kan er niet veel van verstaan, maar ze hoort hem zeggen: '... een jongen en geen mietje! Onthoud dat goed!'

Dan gaat er beneden een deur dicht en hoort ze niets meer.

'Wat krijgen we nou?' denkt Mieke. 'Broer en zus meteen al ruzie? Dat kan gezellig worden de komende dagen.' Maar voordat ze verder kan denken, valt ze weer in slaap en wordt pas weer wakker wanneer Ed voor het bed staat met een huilende kleine hongerlap. Zijn gezicht staat gewoon terwijl hij opgewekt zegt: 'Zo mama, is er nog wat te eten in huis?' Hij heeft het bedlampje aangeknipt, en met een slaperig gezicht komt Mieke omhoog. Ze kijkt op de wekker: twee uur. Hij heeft een aardig tukje gedaan vanaf acht uur. Terwijl Ruben drinkt, zit Ed op de rand van het bed en vertelt over zijn avonddienst. 'O ja, en ik heb nog gezellig wat met Emma gedronken. Verstandig, dat je vast naar bed bent gegaan.' Hij zegt niks over een meningsverschil of wat ook, en Mieke denkt bijna dat ze het gedroomd heeft.

'Hadden jullie ruzie of zo?' vraagt ze toch.

'Ruzie? Welnee, hoe kom je daarbij. Misschien praatten we een beetje te hard.'

Mieke laat het maar zo; het zal wel goed zijn. Wanneer de baby verzadigd is, neemt Ed hem weer mee voor een schone luier, en voordat hij zelf in bed stapt, slaapt Mieke alweer.

De volgende ochtend om half zeven wordt Mieke wakker doordat ze Ruben hoort huilen. Nu slaapt Ed nog vast, en zachtjes gaat ze vlug naar de babykamer. Hè, ze kan voelen dat ze een goede nacht heeft gemaakt. Ze voelt zich echt lekker uitgerust. Goed idee was dat van Emma gisteravond om vroeg naar bed te gaan. Emma. Tegelijkertijd schiet haar weer de boze stem van Ed te binnen. Nu ze goed wakker is, weet ze dat ze het niet gedroomd heeft. Ed was wel degelijk kwaad. Nou ja, ze zal het straks wel horen van hem, en anders misschien wel van Emma. Na het voeden gaat ze thee zetten. Ze dekt juist de tafel wanneer Emma de keuken binnenkomt. Dat is weer echt Emma: al helemaal gekleed en netjes verzorgd.
'Goeiemorgen,' zegt ze 'ik ben maar zo vrij geweest om te douchen en een handdoek uit je kast te nemen, want die ben ik vergeten.'
'Ja natuurlijk zeg, ook goeiemorgen. Jij bent ook vroeg op. Je hebt een soort vakantie, hoor! Zo vroeg lag je er gisteravond niet in, denk ik. Heb je wel goed geslapen?'
'Ja, prima hoor. En ik slaap nooit zo lang. We gaan er meestal laat in en vroeg weer uit. Ik ben echt geen uitslaapmens. En jij? Beetje uitgerust? Heeft dat kleine mannetje je een beetje slaap gegund?'
'Echt heerlijk,' zegt Mieke uit de grond van haar hart. 'Dat was een goed idee van jou, om mij alvast naar bed te sturen. Ik ben trouwens nog wel even wakker geweest. Ik hoorde jullie praten. Jullie hadden toch geen ruzie, hoop ik?' Mieke probeert het een beetje luchtig te zeggen, maar ze kijkt bezorgd naar Emma's gezicht. Ze zou het wel heel vervelend vinden als ze de eerste de beste avond onenigheid zouden hebben gehad. En het is eigenlijk niks voor Ed; die is niet gauw kwaad te krijgen. Emma aarzelt even, maar dan lacht ze.
'Welnee, alleen vond Ed de pop niet zo'n leuk cadeautje voor zijn zoon. Dus als je het ook goedvindt, neem ik hem weer mee en ruil ik hem om voor een auto.'

'O, wat gek,' zegt Mieke 'ik dacht dat hij dat juist leuk zou vinden. Jij zei toch dat hij zelf vroeger ook met poppen speelde? Trouwens, ook niet zo beleefd van hem. Sorry hoor.'

'Daar hoef jij je niet voor te verontschuldigen, hoor. Trouwens, zo erg vind ik dat niet. En misschien juist omdat hij het zelf vroeger leuk vond, wil hij het niet voor zijn zoon.'

Dat vindt Mieke nergens op slaan, maar ze zegt maar niks meer. Toch houdt ze er een vervelend gevoel aan over. Ed gedraagt zich niet echt leuk tegenover zijn zus, vindt ze. Hij lijkt wel het verwende kleine broertje dat boos wordt als zijn zus iets doet wat hem niet aanstaat. Als hij die pop niet leuk vindt, had hij hem toch gewoon kunnen wegleggen zodra Emma weer naar huis was. Daar ga je toch niet zo'n herrie over maken! Ze hoopt maar dat Emma het gauw vergeet. Eigenlijk schaamt ze zich een beetje voor Ed. Wat voor indruk moet Emma wel van hem krijgen. Maar Emma praat gewoon over andere dingen, en wanneer Ed later beneden komt en ze met z'n drieën aan de koffie zitten, lijkt er niets aan de hand. Misschien heeft ze het toch niet zo goed gehoord vannacht. In elk geval doen Ed en Emma heel normaal.

De dag gaat voorbij met voeden, badderen en een wasje draaien. 's Middags gaat Ed weer naar het ziekenhuis, en na de voeding om twee uur wordt Mieke weer door Emma naar bed gestuurd. Eigenlijk is het heerlijk. 's Avonds eten ze weer samen en kletsen ze nog wat. Zo gaan er drie dagen voorbij, en vrijdagavond gaat Emma weer naar huis. Mieke voelt zich een stuk fitter. Ze heeft het ook heel gezellig gevonden. Dat had ze van tevoren eigenlijk niet verwacht. Ze zag Emma toch altijd een beetje als een bazige, koele schoonzus. Maar nu heeft ze haar van een heel andere kant leren kennen. Echt tot diepe gesprekken zijn ze niet meer gekomen, maar Mieke is haar gaan zien als een misschien wat zakelijke, maar tegelijk heel hartelijke vrouw. Ze meent het dan ook echt wanneer ze Emma hartelijk bedankt en vraagt, als ze zin en tijd heeft, vooral nog eens te komen. Met of zonder de rest van haar gezin.

Terwijl ze de auto nakijkt, slaat Ed zijn arm om haar schouder. 'Zo, meisje, nu zijn we weer samen; ik bedoel: met z'n drietjes! Ik ben vrij tot dinsdag. Daar gaan we lekker van genieten.'

Over de pop wordt niet meer gepraat. Ed heeft er trouwens niks over gezegd. Hij is weer de vertrouwde, opgewekte Ed van altijd. Mieke knuffelt even dicht tegen hem aan.

'Wat is het leven heerlijk,' denkt ze. 'Ed is een schat, en boven ligt de liefste en mooiste baby van de hele wereld.'

Emma rijdt inmiddels de snelweg op. Naast haar op de voorbank staat haar tas. Met haar rechterhand trekt ze de rits open; er moet ergens een rol drop in zitten. Het eerste wat haar hand vindt is een arm. Een arm van de lappenpop. Emma zucht. Onder de pop vindt ze de snoepjes. Terwijl ze het dropje in haar mond stopt, kijkt ze eens opzij. Die pop! Ze heeft het niet aan Mieke laten merken, maar ze heeft die eerste avond een heel merkwaardig gevoel gekregen. Een oud gevoel, dat jaren weg is geweest, heeft de kop weer opgestoken. Ed? Het klopt allemaal niet met elkaar. Het is ook maar een gevoel. Maar toch! Ze neemt zich voor het gezinnetje van haar broer wat extra aandacht te blijven geven de komende tijd.

8

EEN PAAR DAGEN LATER BEGINT MIEKE ER TOCH OVER. HET IS ZONDAG-
avond. Ed is naar de kerk geweest. Wanneer hij thuiskomt, vindt hij
Mieke in de kamer met Ruben aan de borst. Hij zet koffie en komt dan
naast Mieke op de bank zitten.

'Mooi hè, Miek?' zegt hij. Met één vinger aait hij over het hoofdje van
Ruben. Mieke kijkt hem van opzij aan.

'Ik wil er toch nog één keer over praten,' zegt ze, 'Waarom wilde je nou
zo graag een meisje? En zeg nou eens heel eerlijk: ben je teleurgesteld,
ook maar een beetje, dat het Ruben is geworden?' Ze vraagt het voorzichtig, aarzelend. Vanavond, toen Ed naar de kerk was, en zij stilletjes
een poos met Ruben op schoot zat, heeft ze erover zitten denken. Ze wist
dat het haar niet zou loslaten. Ze moest er gewoon nog een keer naar
vragen; anders zou het altijd tussen hen blijven hangen. Omdat Ed niet
meteen antwoord geeft, kijkt ze hem weer aan. Hij kijkt een beetje ongemakkelijk, tikt wat onrustig met zijn voet op de vloer. Maar dan opeens
begint hij te lachen.

'Zal ik je wat zeggen, Miek? Ik weet het eigenlijk niet. Ik bedoel, waarom ik zo op een meisje gefixeerd was. Of misschien toch een beetje de
angst dat een jongetje het net zo moeilijk zou krijgen als ik het vroeger
vaak had. Maar ik weet nu dat dat nergens op slaat. En Miek, echt, met
de hand op mijn hart kan ik je zeggen dat ik Ruben, toen hij eenmaal
was geboren, voor geen miljoen meer had willen ruilen voor een meisje.' Het laatste komt er heel ernstig uit. Dat meent hij uit de grond van
zijn hart; zo goed kent Mieke hem wel. Maar dat eerste zei hij net iets te
luchtig.

'Of zit ik weer overgevoelig te doen?' vraagt Mieke zich af. Toch kan ze
het niet laten nog één vraag te stellen.

'Ed, die pop die Emma had meegebracht, wat was daar mis mee?
Waarom moest die mee terug? Ik vond het eigenlijk nogal onaardig
tegenover Emma...' Eds voet begint weer driftig op de grond te tikken.
Een beetje kortaf zegt hij: 'Kom op, Miek, begin daar nou ook nog over.
Ik heb Emma uitgelegd dat ik het idioot vind om een jongen een pop te

geven. Dat is meisjesspeelgoed. Ik denk dat jij vroeger met poppen speelde, en je broers niet. We gaan geen watje van onze zoon maken.'
Mieke staat perplex. Vertelde Emma haar niet zelf dat Ed vroeger ook
heel vaak met poppen speelde? Wat is daar mis mee? Trouwens, het was
geen gewone pop, het was een leerpop, met ritsjes, knoopjes en klitten-
bandjes. Maar ze houdt haar mond. Ze heeft ook geen zin hier ruzie over
te maken.

En Ed is blijkbaar vergeten dat hij zelf vroeger wel eens met poppen
speelde. Ze zegt alleen nog: 'Oké Ed, maar weet je nog dat we ooit hebben afgesproken dat ons kind zichzelf zou mogen zijn? Dan moeten we
ook oppassen dat we op voorhand al gaan regelen waar hij wel en niet
mee mag spelen. Ziezo meneer,' zegt ze tegen Ruben, terwijl ze haar
bloesje dichtknoopt, 'ga jij maar eens een flinke boer bij je vader laten.
Dat is tenslotte mannentaal.' Terwijl Ed de baby tegen zijn schouder
houdt, loopt Mieke naar de keuken om koffie in te schenken. 'Er staat
nog een stukje abrikozenvlaai. Wil jij nog wat?' vraagt ze over haar
schouder, daarmee bewust het onderwerp afsluitend.

's Avonds in bed, terwijl Ed al slaapt, ligt ze er nog over na te denken. Ze
begrijpt Ed niet helemaal. Maar moet dat dan eigenlijk? Misschien heeft
ze in het begin van hun huwelijk alles wel wat te rooskleurig gezien. Ook
al houd je van elkaar, je blijft toch twee heel verschillende mensen. En de
één kan wel eens anders reageren dan de ander verwacht. De ander in
zijn waarde laten is soms best moeilijk. Zeker als je denkt elkaar echt
helemaal te kennen, maar als dan toch blijkt dat die ander trekjes heeft
die je niet zo leuk vindt. 'Laat ik alsjeblieft oppassen,' denkt ze, 'laat ik
oppassen dat ik Ed niet wil ontnemen wat ik zo belangrijk vind voor
Ruben: jezelf kunnen zijn.' Maar toch, toch zit het haar niet helemaal
lekker. Misschien ook wel omdat ze het idee heeft dat Ed iets dwarszit,
iets waarin hij haar niet betrekt. 'Ook dat zal ik dan moeten accepteren,'
denkt ze. 'Ik kan hem niet kneden zoals ik dat wil. Ik ben ik, en hij is hij.
Hij houdt van me, is lief en zorgzaam voor Ruben en mij, wat wil ik nog
meer?' Met een zucht vouwt ze haar handen onder het dekbed: 'Heer,
help me alstublieft, help me van Ed te houden zoals hij is, help me tevreden te zijn, want God, wat heb ik veel! Dank U wel! En houd ons vast,

ons samen en onze kleine jongen, Heer en ...' Verder komt ze niet. Ze slaapt.

'Toe, Annemarie, die baby is onderhand drie weken. We moeten nu echt een keer gaan kijken, hoor! Ik begrijp best dat je het moeilijk vindt, heus wel, maar ik vind het tegenover Ed en Mieke echt raar staan dat we nog niks hebben laten horen. Probeer je er toch een beetje over heen te zetten. Echt, bij ons komt het ook vast wel goed. Heb er toch een beetje vertrouwen in! Die gynaecoloog zegt dat heus niet als hij het niet zou menen. En totdat het zo ver is, kun je toch niet alle baby's uit de weg gaan? Of wil je dat ik alleen ga? Dan leg ik ze wel uit hoe het komt dat jij het zo moeilijk vindt. Daar zullen ze echt wel begrip voor hebben.
'Nee, ik wil gewoon niet dat iedereen het weet! Dan gaan de mensen je zo meewarig aankijken als je ze tegenkomt.'
'Nou, iedereen... Dat valt ook wel mee. Ze zullen dat echt niet meteen aan de grote klok gaan hangen, en zeker niet als ik vraag of ze er verder niet over willen praten.'
Erik zucht.
'Overmorgen heb ik weer club met Ed. Voor die tijd moet er echt iets gebeuren! Denk er vandaag nog maar even over na, maar morgen wil ik echt bellen om iets af te spreken, en dan moet jij maar beslissen of ik alleen moet gaan of dat je mee gaat.'
Annemarie mompelt wat. Dan loopt ze de kamer uit.
Even later steekt ze haar hoofd weer om de hoek van de deur.
'Ik fiets nog gauw even naar de winkel, iets kopen voor Ed en Mieke.'
Erik haalt opgelucht adem. Gelukkig! Deze hindernis heeft ze weer genomen.
Maar wanneer ze een halfuurtje later weer binnenkomt, heeft ze niets bij zich.
'Niets kunnen vinden?'
'Ja hoor, ik heb een mooi boeket uitgezocht, dat wordt morgen bezorgd. Ik heb er een kaartje bij gedaan en daarop gezet dat we later nog wel een keertje komen.'
'Annemarie!'

'Ja, nou hoor! Zo is het toch geregeld? We hebben wat laten horen en gefeliciteerd. Ik kán geen babykleertjes uit gaan zoeken! Waarom begrijp je dat niet? Jij doet er maar zo gemakkelijk over ...'

Wanneer ze begint te huilen, loopt hij naar haar toe en neemt haar in zijn armen.

'Stil maar, meisje, het is wel goed zo. Huil nou niet! Je hebt gelijk. We gaan later wel eens kijken.'

De weken vliegen voorbij. Het gaat geweldig, vindt Mieke. Ze wordt steeds handiger in de verzorging van Ruben. Hij drinkt goed, slaapt veel en huilt weinig. Alleen 's nachts komt hij nog wel één of twee keer; dat moet hij eigenlijk wel afleren, vindt ze. Maar ja, ze probeert 's middags wat bij te slapen wanneer hij ook slaapt, en de rest komt later wel weer. Eind maart zal hij worden gedoopt, en Mieke leeft er echt naar toe. Haar moeder zal hem in de kerk brengen.

De vraag is wie er die zondagochtend zenuwachtiger is, Mieke of haar moeder. Miekes vader moet er een beetje om lachen; hij plaagt zijn vrouw: 'Wat moet je nou helemaal doen? Zo'n slapend kind zes meter dragen en aan zijn moeder geven.' Maar wanneer het zo ver is, en de kleine Ruben wordt gedoopt, ziet Mieke de ontroering ook op haar vaders gezicht. Zelf voelt ze ook tranen in haar ogen. Ze ervaart de doop als het teruggeven van Ruben aan God. 'Heer, U hebt ons dit kind gegeven; we beseffen dat hij niet van ons is, geen bezit. Hij is van U. Daarom brengen we hem vandaag hier, te midden van de gemeente, voor Uw aangezicht, en bidden om Uw zegen over zijn leven.' De dominee leest de tekst uit Mattheüs 7 vers 8: 'Want eenieder die bidt, die ontvangt, en wie zoekt, vindt, en wie klopt, hem zal opengedaan worden.' Mieke is heel blij dat ook Emma en Jan met de kinderen gekomen zijn voor de doopdienst. Ze betrapt zich erop dat ze tijdens de preek eigenlijk een beetje voor Emma zit te luisteren. Wat zegt de dominee? Hoe zou dat nou overkomen bij Emma en Jan? Ze weet dat ze verkeerd bezig is. 'Luister maar voor jezelf, Miekje,' denkt ze, 'daar heb je je handen al aan vol.' Maar tijdens het dankgebed is haar hart vol gedachten voor Emma en haar gezin. 'Je mist zo veel, Emma,' denkt ze. 'Zo veel liefde, steun en houvast.' En hoe nodig zijzelf die steun en houvast de komende tijd nodig zal hebben, beseft ze nog niet.

De hele familie gaat mee koffie drinken. Het is een volle boel in huis, maar vooral erg gezellig. Er worden nog foto's gemaakt van Ruben in zijn doopjurk. Dan drinkt hij z'n buikje vol, en daarna gaat de hoofd-persoon van deze dag naar bed. Mieke en Ed hebben stapels broodjes in huis, en met een kopje soep erbij is dat een hele maaltijd. Het is al tegen het eind van de middag wanneer Jan en Emma met de meiden in de auto stappen. Bij het afscheid zegt Emma tegen Mieke: 'Mooi, zo'n doop-dienst.' Maar voordat Mieke daarop kan reageren, vervolgt ze: 'Dan zie je de hele familie weer eens.' Mieke moet ondanks het gevoel van teleur stelling om die laatste woorden toch lachen. 'Nou, ik hoop dat je de dienst op zichzelf ook mooi vond,' zegt ze. En ze zwaait, want de auto rijdt al weg.

9

MIEKE IS VERBAASD DAT VERANDERINGEN ZO SNEL GEWOON WORDEN. Want het is toch wel een enorme verandering: van een echtpaar zonder kinderen naar een gezinnetje met een kind! Toch heeft ze het gevoel alsof Ruben er altijd al geweest is. Het is een lekker makkelijke baby. 's Avonds na het eten huilt hij een poosje, maar verder slaapt en drinkt hij. Mieke geniet nog van haar zwangerschapsverlof, maar langzamerhand begint ze toch ook wel weer zin te krijgen om naar 'haar' klasje te gaan. Ze is al een keer met Ruben op school geweest om hem te laten zien aan haar kleuters, en voor de babykamer heeft ze een prachtig wandkleed gekregen, dat bestaat uit allemaal kleine schilderijtjes van Ruben, gemaakt door haar klas. Terwijl Ruben lekker lag te slapen in zijn wagen, heeft ze beschuitjes met blauwe muisjes uitgedeeld. De kinderen vonden het prachtig, en zijzelf genoot ervan om weer tussen haar kleuters te zijn. Nu is het eind maart, en komende maandag gaat ze weer aan het werk. Een oppas vinden is toch moeilijker dan het leek. Voorlopig komt haar moeder op maandag en dinsdag oppassen, tenzij Ed vrij is of avonddienst heeft. In dat laatste geval kunnen ze elkaar, met hulp van de babyfoon en de buurvrouw, net overlappen. Echt ideaal vindt Mieke het niet; ze voelt zich toch wel een beetje bezwaard tegenover de buurvrouw, en zeker ook tegenover haar moeder, die op de dagen dat Ed overdag moet werken, toch wel vroeg op stap moet om op tijd bij hen te zijn. Maar de nieuwbakken oma zegt zelf dat het geen enkel probleem is; sterker nog: ze verheugt zich erop een hele dag voor haar kleinzoon te zorgen. Toch informeert Mieke aan alle kanten om een betrouwbare vaste oppas te vinden. Maar zolang dat nog niet gelukt is, is ze heel blij met de aangeboden hulp.

Vrijdags moet ze voor nacontrole naar mevrouw Van Riet, de verloskundige. Trots zit ze in de wachtkamer met Ruben naast zich in de wagen. Hè, heerlijk! De vorige keer dat ze hier zat, was ze nog zwanger, en nu zit ze hier samen met haar zoon. De verloskundige onderzoekt haar, stelt wat vragen en bekijkt Ruben ook uitgebreid. 'Nogmaals gefeliciteerd,'

zegt ze. 'Je bent weer helemaal als nieuw! Alles mag weer, alles kan weer. En je hebt een prachtig jongetje! Tot ziens, zullen we maar zeggen.'
Mieke moet lachen. 'Ik hoop het,' zegt ze, 'maar nog even wachten, wat mij betreft.'
Wanneer ze 's avonds aan Ed vertelt wat mevrouw Van Riet zei, kijkt hij een beetje verschrikt en zegt: 'Nou, rustig aan maar, hoor!'
Mieke lacht: 'Voorlopig ben ik heel tevreden met één kind, hoor! Maar dat ik weer helemaal 'als nieuw' ben, is toch fijn om te horen?' Maar wanneer ze later in bed dicht tegen Ed aan kruipt en met haar hand zachtjes over zijn buik streelt, kust hij haar zacht op haar voorhoofd, zegt 'welterusten meisje,' en draait zich om. Mieke gaat op haar rug liggen. Ze voelt zich teleurgesteld. Ze dacht dat Ed naar haar verlangde. De laatste maanden van haar zwangerschap hebben ze geen gemeenschap meer gehad. Ze vond het eigenlijk wel prima. Ze voelde zich moe en zwaar, en Ed zei dat hij het echt niet erg vond en dat het ook beter voor de baby was. Ze vond het zo lief van hem dat hij dat allemaal voor haar over had. Ze had het er een keer met mevrouw Van Riet over gehad, en die zei dat het voor de baby geen kwaad kon, maar dat ze naar haar lichaam moest luisteren, wat dat betreft, en dat ze blij kon zijn met een man die zo zorgzaam voor haar en de baby was. 'Dat hoor ik wel eens anders,' had ze verloskundige gezegd. En vorige week had ze tegen Ed gezegd dat ze lichamelijk weer helemaal de oude was. Maar Ed zei toen: 'Wacht eerst maar tot na de nacontrole; je moet dat soort dingen niet forceren.'
En nu dit. Mieke ligt een hele poos stil op haar rug in het donker te staren. Wat is dit? Moet ze zich opdringen aan haar man? Is ze niet duidelijk genoeg geweest? Ze voelt zich teleurgesteld, maar ze zegt niks meer. Langzaam lopen er tranen vanuit haar ooghoeken naar beneden op haar kussen. Ze hoort Ed regelmatig ademen en al gauw hoort ze aan zijn diepe ademhaling dat hij slaapt. Is hij gewoon moe, of is hij overdreven bezorgd voor haar? 'Morgen,' denkt ze, 'morgen zullen we erover praten ...' Dan valt ze ook in slaap.

De volgende dag is het zaterdag. Ed moet overdag werken, en 's avonds krijgen ze visite. Van praten komt niks. Ed is opgewekt en als de visite laat naar huis gaat, stuurt hij Mieke vast naar boven. 'Ga jij maar gauw slapen, ik ruim wel op.' Mieke kijkt nog even om het hoekje bij Ruben. Hij ligt lekker te slapen. Sinds een paar dagen slaapt hij 's nachts door. Pas om een uur of zeven laat hij zich horen. Heerlijk! Mieke hoopt dat dat vannacht ook weer zo gaat. Wanneer ze in bed ligt, probeert ze wakker te blijven totdat Ed komt, maar het duurt te lang. Ze hoort hem niet meer in bed komen.

De volgende ochtend gaan ze voor het eerst weer samen naar de kerk. Ruben gaat voor de eerste keer naar de oppas. Mieke vindt het wel een beetje spannend hem daar achter te laten, maar wanneer de kerk uit is en ze snel naar het zaaltje loopt waar de crèche gehouden wordt, ligt hij nog steeds lekker te slapen. 'Jammer,' vond het meisje dat oppasdienst had. 'Ik Hoopte dat hij wakker zou worden en dat ik hem er lekker uit kon halen.' Maar Mieke vindt het prima zo. Het is toch moeilijker dan ze dacht hem aan een ander toe te vertrouwen. Ed lacht haar een beetje uit. 'Morgen ga je de hele dag naar school, meisje, en dan moet je hem de hele dag aan mij overlaten, en het laatste uurtje ook nog eens aan Marjan.' Aan één kant heeft ze heel veel zin om weer naar school te gaan, maar aan de andere kant ziet ze er ook enorm tegen op dat kleine jongetje een hele dag achter te laten. Maar ja, dat zal gewoon even wennen zijn.

's Avonds merkt ze dat ze gewoon een beetje zenuwachtig is. Ze ziet ertegen op Ruben morgen achter te laten, en eigenlijk is ze ook een beetje gespannen om weer naar school te gaan. Ze is er toch zo'n vier maanden uit geweest. Dat zal ook best weer vreemd zijn. Wanneer Ruben zijn laatste voeding heeft gehad, blijft ze extra lang met hem op schoot zitten. Hij is alweer in slaap gevallen, maar ze kan hem nog niet wegleggen. Ze heeft het gevoel alsof ze al een periode aan het afsluiten is. Ruben krijgt overdag geen borstvoeding meer; dat is ze een beetje aan het afbouwen. Alleen nog 's ochtends en 's avonds laat, verder krijgt hij de fles. En nu morgen ook weer aan het werk. Ze zucht er een beetje van. Maar kom, hij moet de wieg in en zijzelf naar bed!

'Kom je ook?' vraagt ze aan Ed, als Ruben erin ligt. Ed zit achter de computer.

'Ga maar vast, ik kom ook zo.'

Wanneer Mieke klaar is om in bed te stappen, vraagt ze nog eens om de hoek van de deur: 'Ed, kom je nou?'

'Ja, ik kom eraan.'

Maar als hij ruim een uur later zachtjes naast haar gaat liggen, slaapt ze al.

Na een paar dagen voor de klas is het alsof ze nooit weg is geweest. De eerste dag moeten de kleuters even aan haar wennen, maar de volgende dag voelt het alweer helemaal vertrouwd. Ed vindt het leuk de hele dag voor Ruben te zorgen, en ook het uurtje dat door Marjan wordt opgevangen, geeft geen problemen. Dinsdagmiddag na schooltijd draagt ze de klas over aan haar nieuwe collega, en dan begint voor Mieke het 'weekend' al. Zo voelt dat tenminste. Het zijn wel twee heel intensieve dagen. Ze staat vroeg op, geeft Ruben nog zijn eerste voeding, verschoont hem en legt hem terug in zijn bedje. Dan gaat ze snel onder de douche, eet staande bij het aanrecht een boterhammetje, pakt haar spullen en gaat naar school.

Ed slaapt nog wanneer ze weg gaat. Ze laat de deur van de slaapkamer openstaan. Dan hoort hij in elk geval Ruben als hij wakker wordt. Wanneer ze 's middags terugkomt uit school, meldt ze zich bij Marjan. De eerste dag ligt hij te slapen en past Marjan via de babyfoon op. Maar dinsdag treft Mieke Marjan in haar huis aan met een huilende Ruben op schoot. Hoewel Marjan zegt dat het absoluut geen punt is, vindt Mieke het zelf toch vervelend. En nu kon ze nog snel na schooltijd naar huis. Binnenkort zal er toch ook regelmatig vergaderd moeten worden na schooltijd en dan is ze nog een stuk later thuis. Gelukkig heeft Ed volgende week dagdiensten en komt haar moeder oppassen; dat geeft voor haar eigen gevoel toch een stukje meer rust. Maar ze blijft zeker op zoek naar een vaste, betaalde oppas; die zal haar pas een echt gevoel van rust geven.

Wanneer Ruben om acht uur slaapt, gaat Mieke op de bank liggen, en voordat het journaal op de helft is, slaapt ze al. Ze wordt pas wakker als Ed om half twaalf thuiskomt. Ze sleept zich slaperig de trap op, vist

Ruben, die net begint te huilen, uit zijn wieg, geeft hem nog zijn laatste voeding, en twintig minuten later slapen Ruben en Mieke allebei alweer.

10

HET IS HALF MEI EN HEERLIJK WEER! MIEKE HEEFT DE KINDERWAGEN BUITEN in de tuin gezet onder een grote boom. De kap is naar beneden en Ruben ligt met grote ogen naar de bewegende takken en bladeren te kijken. Mieke zit met een beker koffie vlak bij de wagen. Ze moet een beetje lachen wanneer ze ziet hoe aandachtig Ruben naar de bewegende bomen ligt te kijken. Verder voelt ze niet veel behoefte om te lachen. Er is iets mis. Er is iets helemaal mis! Met Ed, of met haar. Of in elk geval met Ed en haar. Ed is stil, snel geïrriteerd en in zichzelf gekeerd. Ze heeft verschillende keren gevraagd wat er is, maar elke keer krijgt ze hetzelfde antwoord.

'Niks, hoezo?'

En als ze dan zegt: 'Je bent zo stil,' zegt Ed alweer geïrriteerd: 'Hoe kom je erbij? Ik ben gewoon, hoor. Je beeldt je wat in.' En dan is ze uitgepraat. Soms denkt ze: 'Misschien is het ook wel zo, verbeeld ik het me maar, of misschien ben ik veranderd.' Maar als ze dan terugdenkt aan de tijd vóór haar zwangerschap, weet ze dat er welzeker iets veranderd is. Maar is ze dat zelf, of is Ed anders geworden? Eerst was ze ervan overtuigd,dat Ed veranderd is. Maar de laatste weken gaat ze steeds meer aan zichzelf twijfelen. Is ze misschien toch door haar zwangerschap en bevalling zo veranderd dat het voor Ed moeilijk is met haar om te gaan? Natuurlijk zijn sommige dingen anders geworden. Ze hebben minder tijd voor elkaar dan vroeger, maar dat is toch logisch met zo'n klein mannetje in huis?

Ze had juist gedacht dat dat hen nog meer zou samenbinden. Maar daar lijkt het niet echt op. Verwaarloost ze Ed misschien toch een beetje, en geeft ze hem te weinig aandacht? Ze heeft wel eens gehoord dat er jonge vaders zijn die dat moeilijk vinden en jaloers zijn. Maar dat lijkt haar helemaal niks voor Ed. Tenminste, niet voor de Ed met wie ze getrouwd is.

Mieke zucht. Het is zo moeilijk, zo ongrijpbaar. En er is nóg iets dat haar dwarszit. Na de geboorte van Ruben lijkt Ed haar lichamelijk niet meer aantrekkelijk te vinden. Ze is iets dikker gebleven, maar eigenlijk was ze altijd wat aan de magere kant, dus is dit helemaal niet zo erg, vindt ze zelf. Of is het misschien dat ze borstvoeding geeft, vindt Ed dat vervelend? Ze heeft het hem gevraagd, maar ook daarop zei hij dat ze zich wat inbeeldt en dat er niks aan de hand is. Maar 's avonds in bed draait hij zich om en gaat slapen. Of, en dat gebeurt meestal, komt hij pas in bed wanneer Mieke al lang slaapt.

Eén keer sinds de geboorte van Ruben hebben ze gevreeën. En toen is het initiatief helemaal van haar uitgegaan. En zelfs ook daarin voelde ze dat het anders was dan vroeger. Toen Ed al lang sliep, heeft ze nog heel lang wakker gelegen en gehuild. Ze voelde zich afgewezen, beledigd. En ze weet niet met wie ze hierover zou kunnen praten. Dat Ed stil is, daarover heeft ze wel een keer met Els gepraat. Die had haar tijdens de zwangerschap ook zo geholpen om het allemaal weer een beetje op een rijtje te zetten en in de juiste proporties te zien.

Ook nu zei Els weer dat het waarschijnlijk even wennen aan de nieuwe situatie is en dat het vanzelf wel weer bijdraait. Ze heeft het toen maar zo gelaten. Het heeft immers geen zin erover te praten, als ze niet alles kan vertellen. En dat kan ze niet. Zelfs niet tegen Els. Ze schaamt zich, voelt zich tekortschieten. Ligt het aan Ed, of ligt het aan haarzelf? Of, en dat durft ze zichzelf bijna niet af te vragen, of zou Ed verliefd zijn op iemand anders? Zulke dingen gebeuren toch? Ook al heb je elkaar trouw beloofd. Ook al heb je samen in de kerk gestaan en ook voor God elkaar trouw beloofd. Ook al denk je dat dat bij iedereen kan gebeuren behalve bij jou ...

Mieke zit onder de boom; haar koffie is koud geworden. Ze piekert wat af de laatste tijd. En het brengt geen oplossing. Integendeel. Ja, misschien is dat het. Integendeel. Misschien ziet ze zo veel leeuwen en beren dat zij daardoor de irritatie van Ed opwekt, en draaien ze zo in een kringetje rond.

'Kom op, Miek,' zegt ze hardop tegen zichzelf. 'Afgelopen! Ga boodschappen doen, kook eens uitgebreid Italiaans vanavond, trek wat leuks aan, daarbij een opgewekt gezicht en je zult zien: dat doet wonderen! En anders zal en moet er gepraat worden vanavond.' 'De moed der wanhoop,' denkt ze, 'dat moet zoiets betekenen.'

Wanneer Ed 's avonds thuiskomt, lijkt het hem niet op te vallen dat Mieke extra werk heeft gemaakt van haar uiterlijk en van het eten. Als hij binnenkomt, geeft hij haar een verstrooide kus op haar wang en tilt Ruben uit de box. 'Zo, mannetje, hoe is het vandaag?' vraagt hij terwijl hij hem hoog boven zijn hoofd tilt. Het levert hem een brede lach en een klodder kwijl in zijn gezicht op.

'Bah, viespeuk, manieren moeten we je nog leren.' Hij legt hem terug in de box. Even lijkt hij weer de oude Ed. Wanneer hij met zijn zoon bezig is, is hij altijd opgewekt. 'Dus dat is het niet,' registreren Miekes hersens automatisch, 'hij is niet jaloers; dan zou hij niet altijd zo enthousiast met hem bezig zijn.' Maar wanneer ze even later aan tafel zitten en Mieke probeert hun oude toon weer te vinden, is het alsof hij weer helemaal dichtklapt.

'Lekker?' vraagt Mieke, wanneer hij zonder iets te zeggen de lasagne naar binnen werkt.

'Wat? Ja, lekker, smaakt prima. Leuke dag gehad?'

'Ja hoor, lekker beetje buiten gezeten en boodschappen gedaan met Ruben.'

'Hoor ons nou eens,' denkt Mieke, 'alsof we een toneelstukje opvoeren! Waar is onze oude vertrouwde toon gebleven? Of is dit de oude vertrouwde toon? Maar waarom voelt het dan zo krampachtig?'

Na het eten ruimt Mieke de vaatwasser in. Ed speelt op de grond met Ruben. Mieke wil net koffie gaan zetten, wanneer er gebeld wordt. 'Doe jij even open?' roept ze. 'Het zal wel een collecte zijn.'

Ed legt Ruben in de box en gaat naar de gang. Vanuit de keuken hoort Mieke hem praten bij de deur. Wie er is en wat er geantwoord wordt, kan ze niet horen. Na een paar minuten wordt ze toch wel nieuwsgierig met wie Ed zo lang aan de deur staat te praten. Wanneer ze de deur opendoet hoort ze hem zeggen: 'Nee Erik, het spijt me, ik blijf bij mijn besluit en ik wil er niet meer over praten! En sorry, ik heb nu echt geen tijd meer; ik moet zo weg.'

Mieke doet een stap terug, de kamer in, net op tijd om Erik de Jager te zien weglopen over het tuinpad. Ze loopt de keuken weer in en schenkt de koffie in.

Met twee bekers in haar hand komt ze de kamer weer binnen.

'Was dat Erik? Wilde hij niet binnenkomen?'

Ed heeft Ruben weer uit de box gepakt en lijkt helemaal op het kleine ventje geconcentreerd. 'Mmmm ja, dat was Erik. Nee, hij had geen tijd geloof ik.'

Mieke zet de bekers op tafels en laat zich op de bank zakken, tegenover Ed.

'Je liegt.' Zegt ze. 'Je liegt en je loog ook tegen Erik. Ik hoorde je zeggen dat je geen tijd had omdat je nog weg moet, en dat is helemaal niet zo. Ed, waar ben je mee bezig? Wat kwam Erik doen? En waarom ben je niet eerlijk tegen me? Verdorie Ed, moet dit nou zo?'

Ze is boos, ze is het zat!

'Nou, maak je niet zo druk zeg, dat was een leugentje om bestwil. Ik heb gewoon geen zin in dat gezeur van hem.'

Mieke kijkt hem met open mond aan. Al jaren zitten ze samen in het jeugdwerk van de kerk, Erik en Ed. Echt bevriend met elkaar zijn ze niet, maar in het jeugdwerk trekken ze al heel lang samen op, en ze kunnen het prima met elkaar vinden.

'Wat kwam hij dan doen, en bij welke beslissing blijf jij? Waar ging dat dan over?' 'Verdraaid, Miek, sta je me af te luisteren of zo? Doe dan ook niet zo onschuldig met je gevraag waarom hij niet binnenkwam.'

Hij staat op. 'Ik ga Ruben een schone luier geven; hij stinkt.'

Mieke hoort hem de trap op gaan. Hij loopt langzaam, alsof hij doodmoe is. De koffie staat koud te worden op tafel.

Later op de avond, wanneer Ruben in zijn bedje ligt, gaat Mieke naast Ed zitten. Hij zit op de bank en zapt van de ene zender naar de andere op de tv. Zodra Mieke gaat zitten, zet hij de tv uit.

'Sorry, Miek, voor vanavond. Ik voelde me een beetje in het nauw gedreven. Ik had het je ook al veel eerder moeten vertellen, maar ik was er voor mezelf nog niet helemaal uit. Ik heb Erik gisteravond gebeld om te zeggen dat ik ga stoppen met het clubwerk. Nou, daar was hij niet echt blij mee en hij kwam vanavond vragen of ik toch niet nog een halfjaartje wil meedraaien, zodat hij rustig iemand anders kan zoeken. Maar dat wil ik niet. Vandaar ...' Mieke weet even niet wat ze zeggen moet. Ze is eigenlijk stomverbaasd. Het jeugdwerk; als er iets was waar Ed warm voor liep, was dat het wel. Ze hadden afgelopen winter allerlei nieuwe plannen gemaakt om in het nieuwe seizoen het club- en evangelisatiewerk onder de jongeren uit te breiden, en nu dit!

'Nou, ik kan me voorstellen dat Erik daar niet direct genoegen mee neemt en probeert je op andere gedachten te brengen,' zegt ze. 'Waarom wil je dan opeens stoppen? Wat is er toch aan de hand? Joh, misschien ben je gewoon een beetje oververmoeid. Het clubwerk is nu gestopt. Rust lekker uit, en in september begin je weer met nieuwe zin. Of zoek er iemand bij, dan draai je een paar maanden op halve kracht mee, dan kun je altijd nog beslissen of je er echt mee wilt stoppen of niet. Jullie hebben zo veel nieuwe plannen gemaakt; daar kun je Erik toch ook niet opeens mee laten zitten?'

Ed kijkt recht voor zich uit. Hij zit een beetje onderuitgezakt op de bank. Het is alsof hij haar helemaal niet hoort.

'Ik kan het niet meer, Miek, ik kan het gewoon niet meer.'

Dan staat hij op en loopt langzaam de kamer uit.

'Ik wil er ook niet meer over praten. Laat me nou maar.'

Ze hoort hem de trap op lopen. Er gaat boven een deur open en weer dicht. Hij zit achter de computer, weet ze. Hij had net zo goed naar de Noordpool kunnen gaan; dan was hij net zo onbereikbaar geweest als nu. Wanneer ze Ruben de laatste voeding heeft gegeven, de bekers in de keuken heeft gebracht en de vaatwasser heeft aangezet, doet ze beneden de lichten uit en gaat naar bed. Het is voor het eerst dat ze zonder Ed iets te zeggen alleen naar bed gaat. Ze ligt heel lang wakker. Ze zou willen huilen, maar ze kan het niet. Ze is moe en bang en eindeloos verdrietig.

'God,' vraagt ze, 'God, wat moet ik doen? Hoe moet het nou verder met ons? Ik weet het niet meer.' En terwijl ze in het donker ligt te staren en tevergeefs op Ed wacht, gaan haar gedachten weer hetzelfde rondje van steeds: 'Waarom is alles zo anders? Ben ik veranderd? Is Ed veranderd? En waarom dan? Is hij ziek? Is er een ander? Houdt hij niet meer van me? Wanneer is het begonnen? Hoe moet het toch verder?'

11

ERIK HANGT ZIJN JAS AAN DE KAPSTOK EN GAAT DE KAMER BINNEN. WANneer hij daar niemand ziet, loopt hij de trap op.

'Annemarie?'

'Hier ben ik, wacht, ik kom eraan?'

Met een emmer in haar hand komt Annemarie de zoldertrap af.

'Zo, die ramen zagen er niet uit. Nu kunnen we tenminste weer naar buiten kijken.'

Ze gooit de emmer leeg in de wastafel, droogt haar handen af en doet de badkamerdeur dicht.

'Dat zal wel meevallen, meisje. Kom, we gaan koffie drinken. Je hebt voor vandaag wel genoeg gedaan, dacht ik.'

Beneden loopt Annemarie meteen door naar de keuken.

'Hoe was het bij Ed?' vraagt ze over haar schouder. 'Heb je hem kunnen overhalen om toch nog door te gaan?'

Erik staat voor het raam.

'Nee ...' Even blijft hij stil. 'Nee, en ik begrijp er nog steeds helemaal niets van. Hij deed zo ... ja eigenlijk zo raar. Heel afstandelijk. Ik vraag me af wat er met hem aan de hand is. Waarom wil hij nou opeens stoppen? Ligt het aan mij? Aan onze samenwerking? Trek ik te veel dingen naar me toe? Maar dan zou hij het toch wel zeggen, lijkt me. We hebben toch jaren hartstikke leuk samengewerkt. Ik begrijp er echt niks van.'

'Hoe reageerde Mieke dan? Zei zij niks toen je er net was?'

'Ik ben niet eens binnen geweest! Hij hield me voor de deur, dus ik heb Mieke helemaal niet gezien.'

'Raar! Nou ja, misschien heeft hij even rust nodig. Hebben ze het druk met de baby of zo?'

Nu klinkt haar stem bitter. Erik hoort het. Hij slaat zijn arm om haar schouder.

'Kom op, meisje, onze tijd komt ook nog wel! Niet de moed laten zakken. De één moet nou eenmaal wat langer wachten dan de ander ...'

Stil zitten ze samen op de bank met hun beker koffie in de hand.

Erik piekert over Ed. Wat mankeert die jongen toch opeens?

Annemarie denkt aan de baby, waar ze zo naar verlangt en die zich maar niet aandient na haar tweede miskraam. 'Geduld,' zegt de gynaecoloog. 'En er niet zo op gefocust zijn. Alles is in orde en jullie zijn nog jong.' Makkelijk praten is dat!

'Kun jij niet een keertje bij Mieke langs gaan?' doorbreekt Erik haar gedachten.

'Hè, wat zeg je? Hoe bedoel je?'

'Nou, misschien kom je er dan achter wat er aan de hand is, waarom Ed zo opeens afhaakt.'

'Ja nou, dat weet ik niet hoor. Zo goed ken ik hen eigenlijk niet. Ik zal wel eens kijken.'

In haar hart weet ze al dat ze dat helemaal niet wil. Ze kent Mieke en Ed goed genoeg om zomaar eens langs te wippen. Tot voor een paar jaar sprak ze Mieke regelmatig. Ze is zelfs wel eens bij haar op de koffie geweest. Maar sinds Miekes zwangerschap, en zeker na de geboorte van de baby, mijdt ze haar. Ze kan het gewoon niet opbrengen. Behalve het bloemetje dat ze heeft gestuurd na de geboorte van Ruben heeft ze niks meer laten horen. Misschien kinderachtig, maar het lukt haar gewoon niet.

Erik zegt niks meer. Hij weet ook dat ze het waarschijnlijk niet zal doen. Hij maakt zich zorgen over haar. Ze gaat steeds meer in een kramp leven. Trekt zich terug van vriendinnen, die opeens allemaal zwanger lijken te zijn. Trekt zich terug in haar huis, haar vesting. En maar poetsen en schoonmaken; het is alsof dat steeds erger wordt.

Erik zucht. Moeilijk! Hij weet er eigenlijk geen raad mee. En nu dit weer met Ed. Wat moet hij daar nou weer mee? Zou hij kwaad zijn omdat ze nooit op kraambezoek zijn geweest? Ach nee, dat is helemaal niks voor Ed.

'Kom, Anne, ik schenk nog een beker koffie voor ons in! We zullen het allemaal maar even afwachten. De dingen lopen altijd anders dan je denkt.'

Hij weet eigenlijk niet wat hij bedoelt: de situatie thuis of die met Ed. En of hij nu Annemarie of zichzelf moed in wil spreken.

12

WANNEER MIEKE DE VOLGENDE OCHTEND WAKKER WORDT, HEEFT ZE VRE-
selijke hoofdpijn. De slaapkamerdeur staat open. Ze hoort Ed tegen de
baby praten.

'Ziezo, jongetje, jij bent alvast schoon. Nu ga ik je bij mamma brengen;
die heeft vast nog wel wat te eten voor je. En pappa gaat werken, want er
zal toch wat verdiend moeten worden.'

'Is dat het soms?' denkt ze. 'Zit het hem dwars dat ik minder ben gaan
werken? Vooruit, weer een gedachte erbij, in het rijtje van wat er allemaal mis kan zijn!'

Ze doet haar ogen dicht. Ze wil gewoon niet meer. Niet weer zo'n dag
met piekeren en onzekerheid.

'Kijk nou eens! Mamma slaapt nog. Nou dat gaat niet, hoor. Maak jij haar
maar eens wakker.' De deur is verder opengegaan en daar staat Ed met
Ruben voor haar. 'Ja,' denkt ze, 'zo gewoon zou het moeten zijn. Ons
leven samen met ons kind, één feest.' Maar ze ziet Eds ogen en ze weet,
dat het niet gewoon is. Zijn opgewekte woorden passen niet bij zijn
gezicht, zijn ogen.

'Sorry dat het gisteravond een beetje laat geworden is. Ik kwam vlak na
jou in bed, maar je sliep al. Ik ga, hoor, fijne dag jullie tweetjes.' Hij
legt Ruben naast haar op bed en geeft haar een snelle kus op haar voorhoofd.

'Dag,' zegt ze. Ze hoort hem de trap af lopen; de voordeur valt achter
hem dicht. 'Ook fijne dag,' zegt ze zachtjes voor zich uit. 'En je liegt weer.
Je kwam niet vlak na mij in bed. Ik heb uren wakker gelegen en je was
er niet. Je bent er nooit meer. Waar ben je dan eigenlijk wel?'

Ruben begint te pruttelen naast haar. 'Kom maar schatje,' zegt ze terwijl
ze hem aan de borst legt, 'tijd voor je ontbijt. En weet je wat? Zo meteen
gaan we tante Emma bellen.' Dat is opeens gisteravond vlak voordat ze
in slaap viel, in haar gedachten gekomen. 'Ik weet het echt niet meer, ik
wil met Emma praten.'

Ze was eigenlijk tegelijk ook verbaasd over die gedachte. Emma!
Waarom nou juist Emma? Maar op de een of andere manier heeft ze het

gevoel dat als iemand er iets van zal kunnen begrijpen, Emma dat zal zijn.

Het kost moeite Emma aan de telefoon te kijgen. Ze krijgt iemand van het kantoor van Emma aan de lijn, die belooft dat hij Emma zal vragen terug te bellen.
'Is er haast bij, mevrouw, of kan ik u misschien helpen?' vraagt hij vriendelijk.
'Nee, dank u,' zegt Mieke, 'en nee, er is niet echt haast bij.'
Het is al na vijf uur wanneer Emma terugbelt. Mieke heeft de hele dag een beetje om de telefoon heen gedraaid. Ze durfde eigenlijk niet eens boodschappen te gaan doen omdat ze bang was dat Emma juist dan zou bellen. Het is een lange dag geworden. Haar hoofdpijn is na een paar aspirientjes wel wat gezakt, maar niet helemaal overgegaan. En natuurlijk heeft ze toch weer zitten denken en piekeren. Wanneer om kwart over vijf dan eindelijk de telefoon gaat, hoort ze op hetzelfde moment de deur opengaan: Ed komt thuis. Nu kan ze nog niet zeggen tegen Emma wat haar zo bezighoudt. Eigenlijk weet ze ook niet precies wat ze wilde zeggen of vragen. Het is gewoon het gevoel dat Emma Ed al zo lang kent. Dat zij misschien dingen van vroeger kan vertellen. Is hij misschien ooit depressief geweest of was hij als kind ook wel eens een periode stil en afwezig?
'Ik hoorde, dat je gebeld hebt,' zegt Emma. 'Belde je zomaar of is er iets?'
Mieke weet even niet hoe ze moet reageren.
'Nou ja, eigenlijk zomaar,' zegt ze, 'en ik wilde ook vragen of je misschien weer eens een keertje komt, als je in de buurt bent.'
'Leuk, maar voorlopig zit dat er even niet in, geloof ik. Gaat het allemaal goed bij jullie, en met Ruben ook?'
'Dat gaat wel, hoor.' Mieke probeert zo normaal mogelijk te praten.
'Nou, tot ziens dan maar, hoor, en de groetjes daar.' Emma heeft alweer opgehangen.
'Wie was dat?' vraagt Ed.
'Emma.'
'Emma? Nou zeg, die belt anders ook nooit! Had ze niks te doen of zo.'

Mieke haalt haar schouders op. 'Geen idee.' Ze zegt maar niet dat ze haar zelf heeft gebeld. Ze heeft er eigenlijk ook alweer spijt van. Wat kan Emma er ook aan doen? Ze gaat naar de keuken. Ed komt haar achterna.

'Verder nog nieuws? Nog wat gezelligs gedaan vandaag?' Hij pakt intussen een biertje uit de koelkast. 'Jij ook wat drinken?' Mieke schudt haar hoofd. Ze kijkt bijna verbaasd naar Ed. Hij praat opgewekter dan weken het geval geweest is. Ziet ze het dan toch allemaal te zwart? Ed is intussen alweer de kamer in gelopen en pakt Ruben uit de box. Terwijl ze het eten opzet, hoort ze hem gekke geluiden maken tegen Ruben.

'Hoe was het in het ziekenhuis?' vraagt ze wanneer ze en halfuurtje later aan tafel zitten.

'Mmmm, druk, maar wel lekker gewerkt. We zijn eindelijk weer eens een poosje zonder stagières; dat is eigenlijk best wel even lekker.'

'Hoe hebben ze zich eigenlijk ontwikkeld? Dat waren toch die drie jongens en die meisjes die we in november op dat personeelsfeestje zagen? Je had toen nogal moeite met die Elma, toch?'

'Ach, eigenlijk viel dat allemaal wel mee. Het is een bijdehante tante, dat wel. Die redt zich wel, en Job, Ester en Peter ook. Maar Erik ...'

'Wat is der met hem?'

'Ach.' Ed schudt een beetje geïrriteerd z'n hoofd. 'Die jongen is veel te zacht, veel te lief, hij, nou ja, hij zal zich minder kwetsbaar moeten gaan opstellen, anders heeft hij geen leven in het ziekenhuis.'

'Hoe bedoel je? Waarom geen leven? Is het een beetje een watje of zo?'

Mieke probeert zich de jongen te herinneren. Er staat haar vaag iets bij van een blonde, wat verlegen jongen, die vol bewondering naar Ed had gekeken, maar niks had gezegd bij dat vervelende akkefietje aan het eind van dat feestje.

'Een watje? Wat bedoel je met 'een watje'? Is er iets mis met je als je geen stoere uitstraling hebt?' Eds stem klinkt agressief.

'Nou ja, wind je niet zo op; ik bedoel er niks verkeerds mee. Kom, laten we nou geen ruzie maken over niks. Ik ga een toetje halen. Wil jij vla of yoghurt? Vis jij intussen Ruben even uit bed. Ik geloof dat ik hem hoor boven. Dan kan hij in zijn wippertje kijken hoe zijn pappa en mamma hun toetje opeten.'

Wanneer ze later samen met hun koffie op de bank voor het journaal zitten, lijkt Eds goede humeur teruggekeerd te zijn. Dat geeft Mieke de moed om voorzichtig te vragen: 'Hé Ed, nog even over Erik, ik ...' 'Houd daar nu alsjeblieft over op zeg. Die jongen is weg van mijn afdeling, en dat is prima zo.' Mieke kijkt hem verbluft aan. 'Ik bedoel Erik de Jager. Ik wilde alleen nog vragen: weet je nou wel heel zeker dat je met het jongerenwerk gaat stoppen? Zou je er toch nog niet over nadenken of het geen te snelle beslissing is geweest?'

Terwijl ze het zegt, heeft ze er al spijt van. Met een klap zet Ed zijn beker koffie op tafel en loopt met grote stappen de kamer uit.

'Weet je wat jij moet doen? Eens ophouden met dat eeuwige gezeur van je.'

Ze hoort hem de trap op bonken. Doodstil zit ze op de bank. Is dit Ed? Is dit de evenwichtige, lieve jongen met wie ze verkering had, de zachtaardige man met wie ze getrouwd is? 'Ben ik gek aan het worden? Of is hij het?' Opeens is ze zo kwaad, heel kwaad! Minstens zo hard als hij even daarvóór smijt ze haar beker op tafel. Er golft een plons koffie over de rand. Ze vliegt de trap op, de computerkamer in. Daar zit hij. Op het logeerbed. Zijn hoofd in zijn handen. Er spreekt zo veel wanhoop uit zijn houding dat ze opeens stilstaat. Haar boosheid zakt even snel als hij opkwam. Ze zakt op haar knieën op de grond voor hem neer.

'Ed, wat is er toch? Wat gebeurt er toch met ons? Vertel het toch, zeg het alsjeblieft! Ben je ziek, of doe ik iets fout? Houd je niet meer van me? Is er een andere vrouw? Ben je boos dat ik minder ben gaan werken? Heb je ruzie op je werk of binnen het clubwerk? Wat het ook is, zeg het dan toch, hier word ik gek van.'

Ze slaat haar handen voor haar gezicht en begint dan met lange uithalen te huilen. Ze laat zich voorover vallen op de grond en huilt alle spanning van de afgelopen weken en maanden eruit. Ed zit doodstil naast haar. Nog steeds met zijn handen voor zijn gezicht. Pas wanneer Ruben in de kamer ernaast begint te huilen, komt Mieke omhoog. Ze loopt naar zijn kamertje en pakt hem uit zijn bedje.

'Ach, jongetje, het spijt me. Maken we jou ook nog wakker.' Ze houdt hem dicht tegen zich aan. Haar tranen lopen over zijn zachte haartjes. Dan legt ze hem terug, doet zijn speentje in zijn mond en loopt zachtjes de kamer uit. Ze loopt naar de badkamer om haar neus te snuiten, en met een washandje koelt ze haar voorhoofd. Haar hoofd bonkt! Dan loopt ze terug naar de computerkamer. Ze kijkt naar Ed. Hij zit nog in dezelfde houding als daarnet. Ze knielt weer bij hem neer.

'Ed! Zeg het maar. Is er een ander?'

Opeens is ze rustig. Ze wil het weten. Ze moet het weten. Zo kan ze niet meer verder.

'Houd je niet meer van me?'

Wanneer hij eindelijk de handen voor zijn gezicht weg haalt, ziet ze dat hij huilt.

'Natuurlijk houd ik van je,' zegt hij. 'Er is geen andere vrouw in de wereld van wie ik meer houd dan van jou.'

Zijn stem klinkt wanhopig. Er valt een last van haar af, want ze ziet dat hij het meent.

'Maar wat is er dan? Gaat het niet goed op je werk? Of voel je je niet goed?'

Ed staat op. Hij snuit zijn neus en slaat opeens zijn armen om haar heen. 'Er is niks aan de hand. Ik heb nergens ruzie en ik ben zo gezond als je maar kan denken.' Opeens staat de muur weer om hem heen. 'Sorry, dat ik me zo liet gaan. Kom, we gaan naar beneden. Ik zet lekker nieuwe koffie en we praten er niet meer over.'

Maar Mieke blijft staan.

'Ed, ik wil er wél over praten. Waarom zit jij hier te huilen? Waarom doe je zo? Waarom reageer je steeds zo aangebrand? Waarom stop je met je club en ... en waarom vrijen we nooit meer?'

Zo, dat is eruit! Maar het moet. Zo kan en wil ze niet doorgaan. Ed was al bij de deur. Nu blijft hij stokstijf staan.

'Miek, laat het genoeg zijn als ik zeg dat ik van je houd. Ik ben misschien wel een beetje moe en daarom wat kortaf. En dat clubwerk, dat kan ik gewoon niet meer. Misschien later, maar nu even niet. En wat je het laatst zei: in elk huwelijk is er wel eens een periode dat dat wat minder is. Dat komt ook wel weer. Je bent ook wel wat overgevoelig in alles hoor. Er is echt niks aan de hand. Kom, we gaan naar beneden, ik ga koffie zetten en jij gaat lekker op de bank zitten.'

Mieke zegt niks meer. 'Wat moet ik nog zeggen ...' denkt ze. 'Het klopt gewoon niet, maar het zal wel aan mij liggen.'

Ed steekt zijn hoofd om de hoek van de kamerdeur. 'Ik hoef eigenlijk geen koffie meer, ik neem een pilsje. Wil jij een glaasje wijn?'

'Nee joh, het is nog geen negen uur. Geef mij maar lekker koffie, hoor.' Vijf minuutjes later komt Ed de kamer binnen, in zijn ene hand een beker koffie, in de andere een pilsje. De rest van de avond is hij bijna vrolijk.

'Geforceerd opgewekt,' denkt Mieke. Maar ze zegt niks meer. Ze is moe, zo moe. En ze weet het ook niet meer. Is er nu iets of is er niks? Verbeeldt ze het zich echt allemaal? Om half elf gaat ze naar bed. Haar hoofdpijn is in volle hevigheid terug. Ze neemt een paar aspirines en stapt in bed.

De volgende dag is het zaterdag. Mieke wordt wakker doordat Ruben huilt. Ze kijkt op haar horloge. Half negen al! Die kleine man heeft lang geslapen! Ed heeft dit weekend vroege dienst. Ze heeft hem niet uit bed horen gaan. En hem er trouwens gisteravond ook niet in horen komen. Maar dat is tegenwoordig eigenlijk al gewoon. Ze staat vlug op en loopt naar Rubens kamertje.

'Hé, mannetje, heb jij zo lekker lang geslapen? Keurig hoor! Wat dacht je: het is zaterdag? Uitslaapdag dus?' Ze tilt hem uit zijn bedje. 'Eerst maar gauw een schone broek, hè, en dan eten?' Haar hoofd bonkt alweer. Hè, die hoofdpijn, daar word je ook niet vrolijker van! Misschien moet ze toch eens langs de huisarts gaan om te kijken of die niet iets beters heeft dan steeds maar weer die aspirine!

Wanneer ze Ruben aan de borst heeft genomen, begint hij gulzig te drinken, maar na een minuut of wat begint hij driftig te huilen. Ook dat nog! Ze dacht het de laatste paar dagen al de borstvoeding begint terug te lopen. Jammer! Ze vond het nog zo fijn, die twee keer per dag. Maar zo te merken is het nu echt voorbij. Ze neemt Ruben mee naar beneden, en legt hem even in de box, waar hij meteen weer een keel van jewelste opzet. Vlug loopt ze naar de keuken om een flesje klaar te maken. Maar dan moet ze eerst water koken, dat moet even afkoelen, en dan pas kan ze de melkpoeder erin doen. In de kamer krijst de baby, haar hoofd bonkt en opeens lopen de tranen over haar wangen. En dan wordt er ook nog gebeld! Ze doet gewoon niet open. Wie staat er nou op zaterdagmorgen om negen uur al voor de deur! Maar dan wordt er nog eens gebeld, twee keer achter elkaar. Mieke veegt haar gezicht af aan de theedoek en loopt dan toch maar de gang in. Aarzelend doet ze de voordeur op een kiertje open. Tot haar verbazing staat haar moeder voor de deur.

'Hé, meisje, ben ik even vroeg, hè? Maar pappa moest al vroeg deze kant op om oom Fred te helpen behangen, dus ik dacht vanochtend opeens: ik rijd met hem mee en dan zie ik het wel of ik gelegen kom. Ik wist dat Ed moet werken en jij bent toch altijd vroeg op met dat kleine manne - je, dus vandaar! Maar als jij plannen hebt voor vanochtend, pak ik zo de bus naar Utrecht en ga ik een poosje winkelen, want dat moet ook hoognodig gebeuren. Ik ben nog steeds op zoek naar zomerschoenen.'

Al pratend is ze naar binnen gelopen. Mieke doet de voordeur achter haar dicht.

'Natuurlijk, mam, leuk dat je er bent. Ik heb toch geen plannen voor vandaag. Hier, houd maar even vast, even een flesje maken.' Ze pakt Ruben uit de box en geeft hem aan haar moeder. Hij stopt even met huilen, maar terwijl ze naar de keuken loopt, zet hij het opnieuw op een brullen. Maar wanneer ze vijf minuutjes later met een fles de kamer in komt, is hij stil. Oma loopt met hem op de arm heen en weer door de kamer. Mieke geeft haar moeder de fles.

'Hier, wil jij hem de fles geven? Dan ga ik me gauw aankleden. Ruben en ik hebben ons verslapen; we zijn er nog maar net uit.'

Vlug gaat ze naar boven. Hè, dat mam nu net moet komen. Loopt ze met een huilgezicht door het huis! Maar misschien is het haar niet eens opgevallen. Ze heeft er in elk geval niks van gezegd. Onder de douche laat ze het water even flink over haar gezicht lopen. Ziezo, snel kleren aan en naar beneden. Ze loopt meteen door naar de keuken en zet het koffiezetapparaat aan. Ze wil juist twee aspirines in haar mond doen, wanneer haar moeder de keuken binnenloopt met de lege fles. Ze spoelt hem onder de kraan om.

'Ziezo, dat jongetje is tevreden. Ik heb hem in zijn wipstoeltje gelegd. Is dat goed? O, lekker, je hebt al koffie gezet. Dan gaan wij zitten, en ik geloof dat we dan eens even moeten praten.

Mieke geeft geen antwoord en schenkt de koffie in. Wanneer ze de kamer binnenkomt en de koffie op tafel zet, gaat ze meteen in de aanval: 'Mam, ik vind het heel leuk dat je er bent, en bedankt dat je Ruben even de fles hebt gegeven, maar ik wil nergens over praten en er is trouwens niks te praten. Ik heb gewoon hartstikke hoofdpijn en dat werd me net even te veel toen Ruben zo huilde. Maar verder gaat het allemaal goed met me.'

'Ik wil me ook helemaal niet met jouw leven bemoeien als je dat niet wilt, maar ik constateer alleen maar dingen. En je moet me maar niet kwalijk nemen dat ik me dan een beetje ongerust maak. Maar de laatste tijd wanneer ik hier ben en jullie samen zie, voel ik zo'n spanning dat ik denk: gaat dat wel goed? Verder zie ik dat jij er steeds slechter uit gaat zien. Je gezicht wordt steeds smaller en ik hoor je voortdurend klagen over hoofdpijn. Daarom ben ik een beetje ongerust; daar ben ik nou eenmaal je moeder voor. En je hoeft met mij nergens over te praten als je dat niet wilt, maar ik vraag je wel: voel je je wel goed, of wordt je werk je te veel naast de verzorging van Ruben en de onregelmatige diensten van Ed? Ga anders eens naar je huisarts en laat je bloed eens nakijken. Misschien heb je bloedarmoede of zo. Nogmaals, Miek, ik wil me niet met jouw leven bemoeien, maar ik maak me wel een beetje ongerust over je. Is er iets wat ik voor je kan doen?'

Mieke bijt op haar lip. Ze heeft alweer de neiging te gaan huilen en alles tegen haar moeder te vertellen. Maar wat moet ze dan eigenlijk vertellen? 'Ed is zo ver weg, al zit hij naast me op de bank' en 'Ed wil niet meer met me vrijen, maar hij zegt wel dat ik de liefste vrouw van de wereld ben.' Moet ze dat zeggen? Maar het klinkt zo vaag. Waarom zou ze haar moeder opzadelen met haar probleem, waarvoor toch geen oplossing is? 'Je hebt gelijk, mam, ik moet binnenkort eens naar de huisarts gaan. Ik voel me gewoon niet zo lekker, vooral omdat ik zo vaak hoofdpijn heb.

Daardoor kost mijn werk me ook meer moeite en ben ik afgedraaid wanneer ik thuiskom. En dat heeft natuurlijk ook weer zijn weerslag op mijn humeur. Ik heb hoofdpijn doordat ik zo moe ben, en ik ben moe doordat ik steeds hoofdpijn heb. Zo is het cirkeltje rond. Ik zal volgende week meteen een afspraak maken. Oké? En dan moet jij me beloven dat je je verder geen zorgen meer om mij maakt, want dat is echt niet nodig, hoor! Kom, dan praten we er nu niet verder meer over en maken we er een gezellige dag van. Ik was van plan straks met de kinderwagen naar het winkelcentrum te lopen. Dat is met z'n tweeën nog veel gezelliger. En er zijn twee schoenwinkels, dus wie weet, vind je daar ook nog schoenen naar je zin. Ik zet eerst nog vlug een kopje koffie en gaan we meteen weg. Dan zijn we terug voor de volgende fles. Of nee, weet je wat we doen? Ik neem de fles gewoon mee; dan drinken we daar straks ergens een kopje koffie met wat lekkers erbij. Dan kunnen we daar ook de fles vast wel even opwarmen en dan hoeven we ons ook niet te haasten. Dan doe ik Ruben eerst nog even in bad, want dat moet eigenlijk ook nog gebeuren. Dan is hij daarna lekker moe en slaapt hij wel in de wagen. Goed?'

'Dat lijkt mee heel leuk, maar lukt dat allemaal met jou, want volgens mij heb je nu ook weer hoofdpijn. Ik zag je tenminste net in de keuken weer aspirine innemen.'

'Juist goed voor me, een beetje afleiding, dan gaat die hoofdpijn ook vanzelf wel over.'

Ze heeft de bekers opgepakt en in de vaatwasser gezet. 'Ziezo, jongetje, jij mag met de oma en je moeder op stap. Hoe vind je dat? Maar eerst even in bad en schone kleertjes aan, want je moet natuurlijk wel lekker ruiken wanneer je uitgaat!'

Wanneer ze een halfuurtje later de deur uit gaan, is Miekes hoofdpijn inderdaad bijna weg, en voelt ze zich opgewekter dan weken het geval is geweest.

13

ER ZIJN TOCH NOG EEN PAAR WEKEN VOORBIJGEGAAN VOORDAT MIEKE EEN afspraak met haar huisarts heeft gemaakt. Ze heeft het maar voor zich uit geschoven omdat ze er eigenlijk best tegen opziet. Wat moet ze precies zeggen? Alleen vertellen dat ze zo veel hoofdpijn heeft en slecht slaapt, of zal ze ook praten over Ed, over de verwijdering die er tussen hen is en die vooral op lichamelijk gebied pijnlijk duidelijk aanwezig is. Ze heeft er dagen over lopen denken, met als gevolg: nog meer hoofdpijn en nog slechter slapen. De dagen waarop ze voor de klas staat, lijken bijna niet meer door te komen. Ten slotte komt ze tot de conclusie, dat er weinig anders op zit dan naar de dokter te gaan. Zo houdt ze het ook niet lang meer vol. Ook haar moeder heeft al een paar keer gebeld om te vragen of ze nu eindelijk eens een afspraak heeft gemaakt.

Nu heeft ze dan een afspraak gemaakt op woensdagmorgen, haar eerste vrije dag deze week. Omdat ze geen zin had om haar buurvrouw weer als oppas te vragen, heeft ze Ruben in zijn kinderwagen meegenomen. Gelukkig slaapt hij wanneer ze bij de huisartsenpraktijk aankomt. Met een huilende baby in de wachtkamer zitten zou ze nu echt niet kunnen verdragen. Wanneer ze de wachtruimte binnenkomt, wordt ze meteen aangesproken door de assistente: 'Mevrouw Smit? U mag meteen doorlopen naar de spreekkamer. De patiënt vóór u is niet gekomen, dus u bent meteen aan de beurt. Laat u de kinderwagen maar hier staan, hoor, daar let ik wel even op.' 'Bedankt.' Mieke draait zich om en loopt naar de spreekkamer. De deur staat open. Maar wanneer ze binnenkomt, ziet ze daar niet het vertrouwde gezicht van haar eigen huisarts. Een haar onbekende, tamelijke jonge man staat op vanachter het bureau en loopt haar tegemoet. Hij steekt haar zijn hand toe.

'Hans Boerhaven,' zegt hij. 'Dokter De Wit heeft een ongelukje gehad, en is daardoor voorlopig even uit de running. Ik vervang hem zolang. Ik hoop dat u daar geen bezwaar tegen hebt? Gaat u zitten.'

Geen bezwaar? Natuurlijk heeft ze er bezwaar tegen! Ze zag hier al zo tegen op, en nu moet ze haar hart luchten tegenover een wildvreemde arts.

'Nee hoor,' zegt ze alleen, en ze gaat zitten op het puntje van de stoel. Dokter Boerhaven is weer achter het bureau gaan zitten, leunt achterover en kijkt haar uitnodigend aan.

'Vertelt u het eens.'

Mieke aarzelt en zoekt naar woorden.

'Ik eh, ik, nou eigenlijk heb ik de laatste tijd vreselijk veel last van hoofdpijn en ik slaap erg slecht.'

Wanneer de arts haar afwachtend blijft aankijken, gaat ze verder: 'Enne, nou op mijn werk gaat het ook steeds moeizamer, maar dat komt weer door die hoofdpijn, denk ik.'

Ze bijt op haar lip. Van de zenuwen gaat ze bijna zitten huilen. Hou op, zeg, dat kan ze nu helemaal niet gebruiken.

'Verder nog andere klachten of problemen? U hebt pas een baby; eerste kindje, zie ik?' vraagt hij, terwijl in haar gegevens in de computer kijkt.

'Ja.'

'Mmm, gaat het allemaal goed met de kleine?'

'Ja, prima.'

'En hoe is de verhouding met uw man? Ook goed aan de kleine gewend? En op seksueel gebied? Alles weer zoals voor de zwangerschap?'

Mieke krijgt een kleur. Ze is heus niet preuts, maar de directe vragen overvallen haar. Ze had bij het binnenkomen van de spreekkamer en het zien van de vreemde arts bliksemsnel voor zichzelf besloten over dit onderwerp zeker niet te praten. Maar nu het zo rechtstreeks gevraagd wordt, kan ze er niet omheen.

'Sinds de geboorte van de baby hebben we nauwelijks, ik bedoel, nou eigenlijk geen seks meer gehad, ik ... mijn man, hij ...'

Dokter Boerhaven steekt zijn hand op.

'Ik begrijp het al, zegt u maar niks meer. Het is helemaal duidelijk. Het komt echt wel weer goed. We zien dit zo vaak. U hebt in lichte mate last van een postnatale depressie. Niets om u ongerust over te maken, maar daar moet wel wat aan gedaan worden. U staat voor de klas? Over een maandje begint de zomervakantie. Ik stel voor dat u voorlopig tot die tijd niet meer gaat werken, en ik schrijf u iets rustgevends voor, dan slaapt u beter en dan gaat die hoofdpijn ook wel over.'

Al pratend heeft hij een recept geschreven. Hij gaat staan terwijl hij het aan Mieke overhandigt en zegt terwijl hij al naar de deur loopt: 'Verder geen vragen meer? Dan zie ik u over twee weken terug om even te kijken hoe het dan gaat. Tot ziens, mevrouw Smit.'

Mieke heeft iets gemompeld en loopt verwezen terug naar de wachtkamer. Het receptje in haar hand. Ze groet de assistente en loopt met de wagen, waarin Ruben nog steeds voorbeeldig slaapt, naar buiten.

'Postnatale depressie!' Nou, ze is dan geen arts, maar één ding weet ze wel, en dat is dat ze zeker geen postnatale depressie heeft. Wat een man, die dokter! Ze is nauwelijks aan het woord geweest of hij heeft zijn conclusie al getrokken. Terwijl ze naar huis loopt, springen de tranen weer in haar ogen. Wat schiet ze hiermee op? Niks toch! Maar ja, ze kan in elk geval die medicijnen wel ophalen bij de apotheek. Iets rustgevends kan ze wel gebruiken. En misschien slaapt ze dan inderdaad beter en gaat die hoofdpijn over. Ze loopt meteen maar langs de apotheek en dan gauw naar huis. Het is onderhand tijd voor Rubens fles.

Wanneer ze wat later thuis met Ruben op schoot zit en het hele doktersbezoek nog eens de revue laat passeren, denkt ze: misschien heeft hij toch gelijk, misschien is het wel een depressie. Die man zal dat toch ook maar zo niet uit zijn duim zuigen? Ed zegt steeds dat het aan haar ligt, dus misschien is dat ook wel echt zo. Misschien zie ik dat zelf niet, maar is het voor een ander wel duidelijk. Maar waarom wil Ed dan niet met haar vrijen? Dat is het enige wat toch echt niet klopt in het plaatje. De arts dacht blijkbaar dat ik daar geen zin in heb; anders had hij misschien niet zo snel zijn conclusie getrokken. Wat nu? Teruggaan en zeggen: 'Ho even, dokter, ik wil wel vrijen, maar mijn man niet met mij! Heeft hij soms die depressie?'

Ze zucht. Ze weet het echt niet meer. In elk geval is ze met dit doktersbezoek niet veel opgeschoten. Voorlopig laat ze het maar zo. Oké, postnatale depressie dus. Tot de zomervakantie niet meer naar school, dat is eigenlijk al een opluchting; ze kán niet meer.

Wanneer Ed 's middags thuiskomt, zegt ze: 'Ik ben vanochtend naar de dokter geweest, voor mijn hoofdpijn en zo.'

'En, wat zei hij ervan?'

'Hij denkt dat ik min of meer een postnatale depressie heb, gezien mijn klachten.'

Ze kijkt naar Eds gezicht terwijl ze praat. Het is alsof er een soort opluchting op zijn gezicht verschijnt.

'Postnatale depressie? Nou, dat zou natuurlijk best kunnen. Dat verklaart natuurlijk een hoop van je klachten. Zie je dat er met mij niks aan de hand is? Het ligt aan jou, schatje, maar daar kun jij ook niks aan doen. Dat komt vanzelf allemaal weer goed.'

Hij wil haar in zijn armen nemen, maar Mieke draait zich om en loopt de kamer uit.

'Ja, en hij denkt dat jij ook een postnatale depressie hebt; daarom wil je niet meer met me vrijen.'

Opeens weet ze heel zeker dat het allemaal onzin is. Inderdaad, als er iemand een depressie heeft, is Ed het, en zijzelf zeker niet.

Ze gaat naar de keuken, maar alvast aan het eten beginnen. Ze wil nu niet samen met Ed in de kamer zitten.

Wat later komt Ed de keuken in en pakt hij een biertje uit de koelkast. 'Jij ook wat drinken?' vraagt hij, alsof er niets gebeurd is.

'Nee, dank je.'

Later aan tafel komt Ed niet meer op hun gesprek terug. Het is alsof hij de laatste opmerking van Mieke helemaal niet gehoord heeft. Hij pakt wel een pilsje bij het eten. Het zoveelste biertje al deze week, denkt Mieke automatisch. Dronk hij vroeger alleen in het weekend wat, nu heeft hij aan twee kratten bier per week nauwelijks nog genoeg. Als Mieke er al eens een opmerking over maakt, kijkt hij haar verbaasd aan en zegt: 'Wat zeur je nou? Ik mag toch wel een pilsje drinken? Daar heeft toch niemand last van? Het is zomer hoor.'

Ze eten zwijgend.

Na het eten, wanneer Ruben zijn laatste fles heeft gehad en in zijn bedje ligt, loopt Ed naar boven. Even later hoort Mieke hem weer de trap af komen. Hij steekt zijn hoofd om de hoek van de kamerdeur en zegt: 'Ik ga even wat drinken met een paar collega's, hoor. Wacht maar niet op me. Het kan wel laat worden.' En weg is hij.

Weer wat nieuws! Dat is nog nooit gebeurd, dat hij alleen onaangekondigd weg gaat. En dan was het nog altijd om iets voor het clubwerk voor te bereiden of iets dergelijks.

Mieke neemt één van de pillen die ze vanochtend bij de apotheek heeft gehaald. Ze kijkt nog even om de hoek bij Ruben, kleedt zich uit en kruipt in bed.

Ze duwt haar gezicht in het kussen en laat haar tranen maar weer lopen. 'Wat gebeurt er met ons? Wat is er gebeurd? Ik ken mijn man niet meer. Wat moet ik toch doen? God, help me toch.' Maar het geeft haar geen rust. Waar is God? Ziet Hij hen wel? Hij is er altijd bij, heeft ze altijd geloofd. Nu weet ze dat niet meer zo zeker. Ze voelt een onverschilligheid in zich groeien, onverschilligheid tegenover Ed. En tegelijkertijd beangstigt haar dat ook. Dat kan toch niet? Ze houdt toch van hem? Ja, ze houdt van de man die hij was, de man met wie ze trouwde. Dat was een heel andere man dan die met wie ze nu samen in één huis leeft. Deze man is stil, snel geïrriteerd, onverschillig en afwezig. Kan iemand zo veranderen? Of is hij niet veranderd? Heeft zij hem door een roze bril gezien, of heeft hij zich in hun verkeringstijd anders voor gedaan dan hij eigenlijk is?

Altijd maar weer diezelfde vragen! Ze wil het niet meer! Ze kán het niet meer!

Maar de medicijnen doen hun werk, en Mieke valt, veel eerder dan andere avonden, in slaap.

De volgende dag belt Miekes moeder.

'Miek, wat zei de dokter?'

Mieke heeft zich erop voorbereid. Ze wist natuurlijk dat mam zou bellen.

'Nou dat viel eigenlijk wel mee. Tenminste, het is in elk geval niks ernstigs. Ik heb een postnatale depressie, een lichte dan. Ik heb medicijnen gekregen, en de dokter verwacht dat het over een paar weekjes al veel beter zal gaan. Dus echt niks om je druk om te maken, hoor mam! Echt niet.'

Het blijft even stil aan de andere kant van de lijn.

'Nou, dat is volgens mij niet niks. Je praat er wel heel luchtig over. En wat zegt Ed ervan? Kan hij je helpen? Of kan ik iets voor je doen? Zal ik een paar dagen komen zodat jij wat rustiger aan kunt doen?'

'Nee, mam, echt niet nodig! Het gaat nu al beter met me, nu ik weet dat er niks bijzonders aan de hand is. En een beetje druk hebben is juist goed voor me; dat leidt me een beetje af.'

'Leid je af van wat? Hoe bedoel je dat?'

'Nou, gewoon, weet ik veel! Het gaat gewoon goed met me, ma. Zie nou geen leeuwen en beren waar ze niet zijn!'

Ze probeert haar stem niet geïrriteerd te laten klinken.

Wanneer ze even later de telefoon neerlegt, vraagt ze zich af of ze geloofwaardig over is gekomen. Fijn, als je zo'n lieve moeder hebt, maar soms ook een beetje lastig!

Wanneer de twee weken voorbij zijn, gaat Mieke niet terug naar de dokter. Ze heeft opgebeld en geïnformeerd of dokter De Wit al terug is. Maar ze krijgt te horen dat dat nog niet het geval is. Ze voelt er echt niks voor nog eens terug te gaan naar Hans Boerhaven. Gelukkig heeft ze voor nog zeker twee weken medicijnen; dus ze kan nog even vooruit. Ze merkt wel dat ze beter slaapt, en daardoor heeft ze ook wat minder hoofdpijn. Maar verder verandert er helemaal niks.

Ed gaat steeds vaker 's avonds alleen weg.

'Gewoon even wat drinken met een paar collega's,' zegt hij steevast als Mieke vraagt wat hij gaat doen.

'We kunnen nu eenmaal niet meer zo gemakkelijk samen weg, maar ga jij ook gerust eens wat leuks doen met je vriendinnen of zo.'

Ze reageert er niet eens meer op. Vóór Rubens geboorte gingen ze ook nooit zomaar samen weg 's avonds, tenminste niet zomaar naar een kroegje of zo. Ze heeft ook nooit gemerkt dat hij daar behoefte aan had. Zo'n stapper is Ed nooit geweest. Maar nu heeft hij daar blijkbaar wel behoefte aan. Hij komt meestal erg laat thuis van zo'n avondje, en vaak stinkt hij naar drank wanneer hij in bed stapt. En dat krijg je niet van een paar pilsjes, weet Mieke. De volgende ochtend heeft hij dan meestal hoofdpijn en is hij nog stiller dan anders.

Het is alsof hij 's avonds niet meer samen met Mieke thuis kan zijn. Als hij niet weg gaat, zit hij boven achter de computer. 'Wat doe je daar toch allemaal?' heeft ze al eens gevraagd, maar ook daar krijgt ze geen echt antwoord op.

'Gewoon, wat dingetjes voor mijn werk bekijken en zo.'

Maar wanneer ze een keer onverwacht de kamer binnenloopt, ziet ze dat hij helemaal nergens mee bezig is. Hij zit voor een leeg scherm, zijn handen voor zijn gezicht. Zachtjes loopt ze terug. Wat moet ze ermee? Praten wil hij niet, maar het is duidelijk dat hij ergens mee zit, iets voor haar verbergt. Soms valt er een soort onverschilligheid over haar. Ze laat het maar zo. Ze laat het allemaal maar zo. En ze vraagt zich af hoelang ze dit nog vol zal houden. En hoelang Ed dit nog zal volhouden. Maar soms ook is ze kwaad, wil ze weten wat er is, wat er gebeurt.

Op een middag, wanneer Ed naar het ziekenhuis is vertrokken, gaat ze naar boven. Eerst zoekt ze al zijn zakken na. Van zijn broekzakken tot zelfs de zakken van zijn winterjas, die al lang boven in een kast hangt. Als ze niks vindt, gaat ze naar de computerkamer. Ze kijkt in de prullenbak, doet laatjes van het bureau open, maar nergens vindt ze iets. Er moet toch ergens een aanwijzing zijn, iets wat haar vertelt wat er aan de hand is. Ze ruikt zelfs aan Eds overhemden, voordat ze die in de wasmachine stopt: ruiken ze niet naar een vreemd parfum? Maar ze vindt niks. Ook niet in zijn zakken.

Eigenlijk schaamt ze zich.

'Waar ben ik mee bezig?' vraagt ze zich af.

Maar de drang blijft om te weten, te begrijpen.

Wanneer haar medicijnen bijna op zijn, belt Mieke opnieuw naar de huisartsenpraktijk. Maar opnieuw krijgt ze te horen dat dokter De Wit nog steeds niet terug is. Ze vraagt aan de assistente om een herhalingsrecept, en dat krijgt ze zonder verdere vragen.

'Gelukkig,' denkt ze, 'nu kan ik tenminste even vooruit. Wanneer deze ook weer op zijn, zal toch onderhand De Wit er wel weer zijn. Misschien kan die me echt helpen.'

14

Op een ochtend wordt Mieke wakker van de bel. Ed is allang naar het ziekenhuis vertrokken, en nadat ze Ruben in bad heeft gedaan, hem zijn fles heeft gegeven en hem een poosje in de box heeft gelegd, zijn ze allebei weer naar bed gegaan. De baby is altijd moe na zijn badje, en slaapt dan meestal wel weer een paar uurtjes. Tegenwoordig gaat Mieke dan ook maar weer naar bed. Ze slaapt meestal niet meer, maar ligt stil naar het plafond te staren. Eigenlijk is ze te moe om te slapen en te moe om te denken. Maar vandaag is ze toch nog in slaap gevallen. Wanneer ze de bel hoort, kijkt ze op haar wekker: elf uur. Wie zou er aan de deur kunnen staan?

Nou, in elk geval: jammer dan, ze is niet thuis. Maar er wordt nog eens gebeld, twee keer achter elkaar. Mieke gaat uit bed en gluurt voorzichtig langs het gesloten gordijn. Hè, ze kan natuurlijk net niet zien wie er op de stoep staat. Als diegene nou eens een stapje achteruit zou gaan, kon ze het zien.

Ze heeft het nog niet gedacht, of de persoon doet inderdaad een stap achteruit en kijkt tegelijkertijd omhoog naar haar slaapkamerraam. Ze is te laat om weg te duiken. Ze kijkt haar moeder recht in het gezicht.

'Ik kom,' gebaart ze door het gesloten raam.

Vlug loopt ze naar beneden. Ze weet eigenlijk niet of ze blij is of niet om haar moeder te zien. Aan de ene kant schaamt ze zich dat het overal in huis een troep is en zij nog op bed lag. En is ze ook bang voor haar moeders scherpe blik en eventuele vragen. Aan de andere kant is ze vreselijk blij haar te zien en zou ze bij haar weg willen kruipen en alles vertellen. Dat alles schiet door haar hoofd terwijl ze de trap af loopt en de voordeur opendoet.

'Hé, mam, wat een verrassing! Kom er gauw in. Sorry, dat ik je bijna liet staan. Ik had vanochtend zo'n hoofdpijn en was er nog maar even in gekropen toen Ruben weer naar bed ging. Daarom is het hier ook een beetje een rommeltje. Ik ben al een paar dagen niet zo fit, vandaar. Maar kom, het is lekker buiten, geloof ik, dus ga in de tuin zitten. Dan zet ik koffie en kleed me ondertussen even aan.'

Al pratend heeft ze haar moeder meegenomen naar de tuin en heeft ze de kussens in de tuinstoelen gelegd.

'Ga jij je maar aankleden dan zet ik intussen wel koffie.'

'Ook goed. Je weet het wel te vinden, hè? Ik douche even vlug, hoor. Over vijf minuutjes ben ik er weer.'

Wanneer ze onder de douche staat, slaat opeens de paniek toe. Wat moet ze doen? Hoe moet ze doen? Wat moet ze zeggen? Al weken lang heeft ze mam op afstand gehouden. Door de telefoon gezegd dat ze niet hoefde oppassen, omdat Eds diensten steeds gunstig vielen op haar werkdagen. En dat ze niets kon afspreken omdat ze erg druk was. Want haar moeder is bepaald niet dom; die heeft allang in de gaten dat er iets niet klopt. Wat moet ze ermee?

Maar kom, ze moet zich aankleden en naar beneden. Ze laat het maar gebeuren; ze ziet wel hoe het gesprek gaat lopen.

Juist wanneer ze naar beneden wil gaan, hoort ze Ruben en op hetzelfde moment gaat de telefoon. Even aarzelt ze, maar dan negeert ze het geluid van de telefoon. Ze haalt Ruben uit bed en geeft hem vlug een schone luier. Het geluid van de telefoon is eindelijk gestopt. Maar wanneer ze met Ruben op haar arm de kamer in komt, legt haar moeder net de hoorn neer.

'Hij bleef maar gaan; ik heb hem maar even voor je gepakt. Hier, ik heb het nummer opgeschreven. Of je vandaag even terug wilt bellen. Het was iemand van de arbodienst.'

Ze legt het briefje met het telefoonnummer op tafel en steekt haar handen uit naar Ruben. 'Dag, lieve schat van oma. Kom je even bij me?' Ze knuffelt de baby, die breed naar haar lacht.

'Wat is het toch een schatje, hè?' praat ze meteen verder, alsof het de gewoonste zaak van de wereld is dat er een arboarts belt.

'Misschien weet ze helemaal niet eens wat dat voor iemand is,' hoopt Mieke.

'Neem hem maar mee naar de tuin; dan schenk ik koffie in en maak meteen zijn flesje.'

In de keuken is het een stuk opgeruimder dat tien minuten geleden. Mieke ziet dat de vaatwasser is uitgeruimd en de stapel vuile borden, glazen en kopjes van het aanrecht nu netjes in de vaatwasser staat. Ze warmt de fles en schenkt koffie in. Weet je wat, ze neemt maar zo'n pilletje. Dat heeft ze wel nodig waarschijnlijk! Waar heeft ze dat doosje eigenlijk gelaten? Ze schrikt. Ja hoor, dat kan er ook nog wel bij! Het doosje ligt gewoon op het aanrecht. Mam heeft het netjes aan de kant gelegd toen ze de vaatwasser inruimde. Zou ze gekeken hebben wat er op het doosje staat? Vlug slikt ze het pilletje met een beetje water door en stopt ze het doosje in de la. Dan loopt ze met de koffie en de fles naar buiten.

'Gewoon doen, nergens over praten!' heeft ze zich voorgenomen.

Ze zet de koffie op tafel.

'Zal ik de fles geven? Dan kun je eerst je koffie opdrinken anders wordt-ie helemaal koud. Als je koffie op is, kun jij hem de tweede helft geven, en drink ik mijn koffie op. Goed?'

Het blijft even stil.

Wanneer mam haar beker leeg heeft, zegt ze: 'Gaat het wel goed met je, Miek?'

'Welja, alleen een beetje moe, veel hoofdpijn en zo ... Ik heb je toch verteld wat er is? Het heeft even tijd nodig, maar ik ben niet ziek hoor.' Het komt er niet echt vriendelijk uit, en dat hoort ze zelf. Maar ze wil er niet over praten.

'Ik bedoel, iedereen heeft toch wel eens hoofdpijn. Verder gaat het al een stuk beter. Waarom denk je dan gelijk dat het niet goed gaat?'

'Nou, misschien omdat je op dinsdagochtend om elf uur op bed ligt in plaats van voor de klas te staan.'

Ach natuurlijk! Het is dinsdag! Daar heeft ze nog helemaal niet aan gedacht. Normaal werkt ze altijd op maandag en dinsdag.

'Maar waarom kom je dan langs? Dan zou je toch voor een dichte deur gestaan hebben?'

'Ja, daar heb je gelijk in. Maar ik had heel sterk het gevoel dat het helemaal niet zo goed met je gaat. Ik hoef helemaal niet meer op te passen; als ik je bel om iets af te spreken, wimpel je het meestal meteen af, en jullie komen uit jezelf al helemaal niet meer bij ons langs. En nu sta ik op dinsdag voor de deur, je bent niet aan het werk, ik krijg de arboarts aan de telefoon en er ligt een doosje Seresta in de keuken. Sorry, maar het lag midden op het aanrecht; daar kon ik echt niet omheen. Dus Mieke, meisje, vandaar mijn vraag: gaat het echt wel goed? En wat moet ik me precies voorstellen bij een postnatale depressie? Volgens mij stelt dat echt wel meer voor dan jij me wilt laten geloven. Of is er meer aan de hand? Als je er niet over wilt praten, zal ik niet verder aandringen, maar ik denk dat het heel goed kan zijn er wél over te praten. Ook al ben je getrouwd, al ben je de deur uit, ik wil er nog steeds helemaal voor je zijn. En je kunt me vertrouwen; dat weet je.'

Weer blijft het stil. Mieke is in tweestrijd. Het liefst zou ze alles vertellen, alles eruit gooien waar ze zo mee zit en geen raad mee weet. Maar tegelijkertijd schaamt ze zich voor haar moeder, en wil ze haar er eigenlijk ook niet mee belasten. Want wat kan zij eraan veranderen? Niks toch? Dus wat heeft het dan voor zin het te vertellen?

Ruben heeft inmiddels zijn fles leeg. Ze is vergeten hem halverwege over te hevelen naar zijn oma. Nu zet ze hem rechtop voor een boertje. Ze buigt haar hoofd over hem heen, maar haar moeder ziet toch wel de tranen die uit haar ogen lopen.

'Mieke?'

Ze kijkt op: 'Ik heb toch al verteld dat het maar een lichte depressie is. Volgens de dokter gaat het vanzelf over.'

'En dan stuurt hij je met een doosje Seresta naar huis?'

'Dokter De Wit is er niet; er zit een vervanger. Ik kon ook niet zo goed met hem praten. Ik geloof zelf eigenlijk niet ...'

'Dat dat de oorzaak is? Waarom niet? En wat denk je zelf dan?'

'Ik weet het echt niet, mam, ik weet het echt niet meer.' Ze huilt nu echt voluit.

Haar moeder neemt Ruben van haar over en zet hem in het wipstoeltje. Ze gaat naast Mieke staan en slaat haar arm om haar heen.

'Kom, Miek, gooi het er maar uit. Daar knap je vaak al van op. En heus, overal is een oplossing voor. Heeft het met Ruben te maken of gaat het niet goed tussen jou en Ed?'

Mieke kijkt haar moeder aan. 'Waarom denk je dat?'

'Is dat het? Hebben jullie samen problemen? Wil je er met me over praten?'

'Ach, ik weet het eigenlijk zelf niet. Maar het is zo anders tussen ons geworden. Volgens mij is Ed ontzettend veranderd, maar hij zegt dat er niks aan de hand is en dat het aan mij ligt. Dus een postnatale depressie komt hem goed uit.' Dat laatste klinkt bitter.

'Waarin is hij dan veranderd? En heeft het met de komst van Ruben te maken, denk je?'

'Hij is zo gesloten, zo stil. Hij ziet er slecht uit, praat bijna niet en is 's avonds weg of zit boven achter de computer. Hij ... nou ja, hij drinkt ook best veel, tenminste in vergelijking met vroeger, en als ik vraag wat er toch is, dan zegt dat hij dat er niks aan de hand is, dat ik me wat inbeeld en dat hij van me houdt. Maar hij komt pas in bed als ik allang slaap of tenminste als hij verwacht dat ik al slaap, en verder in bed ... nou ja, ik bedoel, verder lijkt hij mij in bed ook niet meer nodig te hebben, ik bedoel ... nou ja, je begrijpt wel.'

Mieke vindt het moeilijk dit onderwerp te bespreken, zeker met haar moeder. Over dit soort dingen werd thuis vroeger niet veel gepraat. En zelf vindt ze ook dat dat eigenlijk privé is, zeker nu het allemaal niet meer goed gaat.

Ze schaamt zich daarover. Er zal wel iets mis zijn met haar, waardoor Ed geen interesse meer in haar heeft.

'Soms denk ik dat hij verliefd is op een ander, maar als ik dat vraag, kijkt hij me wanhopig aan en zegt hij dat dat echt niet het geval is. En dan geloof ik hem ook echt. Dan weer denk ik dat hij gewoon overspannen is. Maar waarom praat hij daar dan niet over met me. Ik weet het echt niet meer, mam! Wat moet ik toch? Ik word gek van het denken. Soms denk ik dat hij aids heeft of zo. Weet jij veel waarmee hij besmet is geraakt in dat ziekenhuis? En dat hij me dat niet durft te zeggen, maar daarom ook niet meer met me wil vrijen.'

Ze huilt niet meer. Ze staart voor zich uit alsof ze vergeten is dat haar moeder bij haar is.

'En weet je, soms denk ik inderdaad dat ik zelf gek geworden ben. Dat het allemaal aan mij ligt, dat ik veranderd ben, dat ik me van alles inbeeld en dat Ed daarom afstand van me neemt, omdat ik zo'n onmogelijk mens ben. Een mens waarmee niet valt samen te leven.'

Ze kijkt haar moeder weer aan.

'Ik weet het echt niet meer, mam; ik kán gewoon niet meer. Ik weet niet eens meer of ik nog wel van Ed houd. Erg hè? Aan de ene kant ben ik boos op hem, en tegelijkertijd heb ik zo'n medelijden met hem, want er is gewoon iets mis, maar hij sluit me buiten. Buiten zijn leven, buiten zijn problemen. En dat kan toch niet? We zijn toch getrouwd; dan moet je elkaar toch ook vertrouwen, dingen samen delen? Of zie ik dat ook verkeerd en moet ik hem de ruimte geven om zijn eigen weg te gaan? Soms denk ik zelfs: heeft het nog wel zin bij elkaar te blijven ...'

Daarna is ze stil, alsof ze geschrokken is van haar eigen woorden. Mevrouw Terlinden is ook stil. Ze weet hier ook eigenlijk geen raad mee. 'Meisje,' zegt ze, 'dat het allemaal zo erg is, daar had ik geen idee van.' Ze heeft haar stoel dicht naast die van Mieke getrokken, en streelt haar over haar haar. Een poos is het stil. Mieke zit met haar hoofd in haar handen gesteund. O die hoofdpijn, die ellendige hoofdpijn. Ze is moe, eindeloos moe, maar tegelijk heel erg opgelucht dat ze eindelijk eens alles heeft kunnen zeggen.

'Miek, ik denk dat jullie hulp nodig hebben. Hier kom je zelf niet uit. Zeker niet zolang Ed blijft volhouden dat er niks aan de hand is.'

'Denk echt maar niet dat Ed naar een of andere therapie toe wil. Als hij zelfs tegenover mij niet wil toegeven dat er iets mis is, zal hij daar zeker niet met een ander over willen praten.'

'Hebben jullie eigenlijk nog vakantieplannen voor deze zomer?'

'Nee, ook al niet. In het voorjaar hebben we het er wel eens over gehad in september een huisje te huren in Limburg of zo, niet te ver met Ruben, en dan volgend jaar weer te gaan kamperen in Frankrijk of zo, als Ruben wat groter is. Maar de laatste weken hebben we het er helemaal niet meer over gehad. Nergens over trouwens! Zal ik nog een keer koffie inschenken?' Zonder antwoord af te wachten heeft ze de twee bekers gepakt en gaat ze naar binnen. Wanneer ze even later de koffie op tafel zet, zegt ze: 'Sorry, mam, dat ik jou er nou mee opzadel. Dat was echt niet mijn bedoeling. Tob er maar niet over. Ik zie het vast allemaal veel te somber in. Het komt vast wel weer een keer goed.'

'Dat is onzin, wat je nu zegt, en dat weet je zelf ook. Je zadelt mij nergens mee op. Ik ben blij dat je erover wilt praten. Ik heb wel niet meteen een oplossing bij de hand, maar zo in je eentje ermee lopen is nog beroerder. Miek, wat denk je, zou het niet een goed idee zijn als jullie binnenkort eens samen een weekje weggaan? Dan breng je Ruben bij ons, en hebben jullie eens alle tijd voor elkaar. In een andere omgeving lijken de dingen soms opeens weer anders. En je bent echt op elkaar aangewezen. Misschien komen jullie dan wel tot een open gesprek. En als het inderdaad werkdruk is bij Ed, is het zeker goed eens helemaal afstand te nemen. Denk er eens over na en praat erover met Ed. En informeer in de tussentijd eens wanneer je eigen huisarts terug is. Leg hem de dingen ook eens voor. Hij kent jullie allebei al een aardig poosje, en hij lijkt me een verstandige man. Wellicht kan hij je ook verder helpen. En vergeet niet dat je mij te allen tijde kunt bellen of langs kunt komen. Lieverd, ik wil jullie zo graag helpen. Als ik maar wist hoe! Maar in elk geval erover praten, je hart eens luchten, dat kan soms al even helpen. En voel je daar niet schuldig over. Ook niet tegenover Ed. Soms heeft een mens iemand anders nodig om zich tegen uit te spreken. Daar doe je niemand tekort mee. En weet, Miek, dat ik voor jullie bid. En de komende tijd heel veel zal bidden. Voor jou en voor Ed en voor jullie samen.'

Ruben begint het zat te worden in zijn wipstoeltje en begint te huilen. Oma maakt hem los en tilt hem eruit. 'Zullen wij eens een stukje gaan lopen, meneer? En wat doet mamma? Gaat ze mee, meteen even boodschappen doen, of wil ze liever even lekker in het zonnetje blijven zitten?'

'Ik ga wel mee. Als ik hier blijf, ga ik toch maar weer zitten denken. Bedankt, mam, dat vakantie-idee is misschien helemaal niet zo gek. Ik zal er vanavond meteen met Ed over praten. Ik hoop dat hij wil.'

Wanneer ze even later samen met de kinderwagen naar het winkelcentrum lopen, is het net alsof het er allemaal al een beetje lichter uitziet. In elk geval is er weer een beetje hoop, een beetje licht. Wie weet, als ze samen lekker er even helemaal tussenuit gaan, komt het allemaal weer goed en wordt Ed weer gewoon helemaal Ed.

15

WANNEER ZE 'S AVONDS AAN TAFEL ZITTEN, BEGINT MIEKE EROVER.

'Mijn moeder is vandaag geweest.'

'O, belde ze op of kwam ze onverwachts?'

'Ze stond om elf uur opeens voor de deur. Ik lag nog in bed. Ik had hoofdpijn en was er weer even in gekropen toen Ruben er weer in ging.'

'Hoe wist ze dan of je thuis zou zijn? Dit is toch eigenlijk je laatste schoolweek voor de vakantie?' Hij lijkt opeens een beetje geschrokken.

'Had je verteld dat je al een poosje thuis bent?'

'Nee, ik had het haar niet verteld. Nu wel.'

Ed kijkt haar aan. 'Wat heb je verteld? Van je postnatale depressie? Offe
...'

'Wat bedoel je met 'of'? Ik heb haar verteld dat de dokter het over een postnatale depressie heeft gehad, maar ik heb haar ook verteld dat het tussen ons niet zo goed gaat.'

'Was dat nodig? Dat is iets tussen ons, Miek. Daar heeft je moeder niks mee te maken.' Zijn stem klinkt boos. 'En wat zei ze? Dat je het maar slecht getroffen hebt met die vreselijke man en dat je maar weer gauw terug bij mammie moet komen?' Met een ruk schuift hij zijn stoel naar achteren. Met een klap valt die achterover op het parket. Ruben begint hard te huilen in de box.

'Blijf hier en ga zitten!' Ze hoort zelf hoe rustig haar stem klinkt. Ze tilt Ruben uit de box en gaat weer tegenover Ed zitten. Hij heeft inderdaad zijn stoel weer rechtgezet en is gaan zitten. Ze wiegt Ruben zachtjes heen en weer. Hij is snel getroost en snikt nog een paar keer diep na.

'Dat zei mijn moeder helemaal niet. Ze stelde voor dat Ruben een poosje bij hen komt logeren en dat wij er dan samen een weekje tussenuit gaan. En ik denk dat dat een heel goed idee is. Zoals het nu gaat, kan het toch niet langer, Ed, en dat zie jij toch zelf ook wel? Ik hoop, dat we, als we allebei een beetje tot rust komen, een beetje afstand nemen, weer dichter bij elkaar zullen komen. En misschien moeten we toch ook hulp gaan zoeken ... Misschien ligt het allemaal wel aan mij; ik weet het ook niet meer. Maar aan wie of waaraan het allemaal ook ligt, zo komen we er niet uit. We raken alleen maar steeds verder van elkaar.

Ach Ed, wat gebeurt er toch met ons? Wat is er toch? Wil je het niet zeggen of weet je het ook niet?' Nu huilt ze toch weer. En ze had zich zo voorgenomen rustig te blijven.

Ed is voorover gaan zitten. Allebei zijn handen onder zijn hoofd. Wanneer hij Mieke aankijkt, schrikt ze van de wanhoop in zijn blik. Het valt haar weer op, dat hij er vreselijk slecht uitziet.

'Ben je ziek Ed?' vraagt ze.

'Nee, ik ben niet ziek. Misschien heb ík wel een postnatale depressie. Het komt wel weer goed, Miek, echt, het komt wel goed. Het moet goed komen. Ik houd toch van je?' Het komt er wanhopig uit.

'Ja, is dat wel zo, houd je eigenlijk wel van me? Het is gemakkelijk gezegd, je zegt het al maanden, terwijl alles in je gedrag erop wijst dat je me helemaal niet meer moet. Hoe kan ik je dan nog geloven, als je steeds zegt: 'Ik houd van je'? Ed, wees nou toch eens eerlijk! Zeg dan toch eens wat er aan de hand is. Heb ik niet lang genoeg gewacht en gewacht? Ik weet niet meer wat ik geloven of verwachten moet, maar weet je, Ed, zo hoeft het van mij niet meer. Ik kán dit gewoon niet meer.'

Ed is opgestaan en streelt haar over het haar. 'Miek, ik houd echt van je, geloof me. Geef me de tijd om in het reine te komen met mezelf. Het moet gewoon. Ik wil het.'

'Wat moet en wat wil je dan? Ik begrijp je gewoon niet. Kun je me dan niet zeggen wat je zo dwars zit, waar je over tobt. Ed, ben je besmet met hiv?'

'Wát zeg je nou? Hoe kom je daar nou bij? Wat denk je eigenlijk van me?'

'Nou ja, je komt toch met allerlei mensen in aanraking in je werk. Je zou maar een wondje hoeven hebben en met iemand met verkeerd bloed, die gewond is of zo ... Zo gek is die gedachte toch niet. Ook omdat je helemaal niet meer ... Als jij niks zegt, maar me zo ontloopt, vind je het dan gek dat ik van alles in mijn hoofd haal?'

Zwijgend pakt Ed Ruben van haar over. Zij is ook gaan staan.

'Ik breng Ruben naar bed,' zegt hij, 'en dan gaan we eens bekijken waar we naar toe kunnen gaan en wanneer ik vrij kan nemen. Ik denk dat het een goed idee van je moeder is. Tijd voor elkaar, aandacht voor elkaar, dan móet het goed komen.'

Terwijl hij Ruben klaarmaakt voor de nacht, ruimt Mieke de tafel af. Ze ruimt de vaatwasser in en zet koffie. Aan de ene kant is ze opgelucht dat Ed in elk geval met haar weg wil, dat hij zegt dat hij van haar houdt en dat alles weer goed zal komen, maar aan de andere kant heeft ze er weinig vertrouwen in. Hij doet zo krampachtig, bijna wanhopig. Ze weet niet meer wat ze moet verwachten. Hij heeft al zo vaak gezegd: 'Ik houd van je, Miek, het komt echt wel weer goed.' Maar hoelang moet ze daarop wachten? Houdt hij niet zichzelf en haar voor de gek?

Ze leunt tegen het aanrecht aan, terwijl de koffie doorloopt. 'God, help ons toch! Ik weet het niet meer. Help ons toch ...' Hoe vaak heeft ze dat al gebeden? En waar blijft het antwoord? De oplossing? Ziet God het wel? Weet Hij ervan? Of is ze naïef in haar geloven dat geen haartje van haar hoofd valt zonder dat God het weet. Klopt psalm 139 wel? Gij omringt me van achteren en van voren? Ze weet het soms niet meer. Maar ze wil daaraan vasthouden. Wat blijft haar anders over dan wanhoop?

Ze hoort Ed de trap weer af komen. Vlug schenkt ze de koffie in en loopt ermee naar de kamer. Wanneer ze de bekers op tafel zet, pakt Ed de zijne gelijk op en zegt, nu toch wel een beetje verontschuldigend: 'Ik neem hem mee naar boven, Mick. Ik moet nog even wat opzoeken op de computer. Ga jij maar vast eens denken, waar je naartoe wil binnenkort.' En weg is hij weer.

'Hij vlucht voor me,' denkt Mieke. 'Hij vlucht gewoon voor me. En dan samen op vakantie?'

Ze komt er niet meer op terug, maar drie dagen later begint Ed er zelf weer over.

'Ik heb het nagevraagd en ik zou de eerste week van augustus vrij kunnen nemen. Dus kijk jij maar waar je naartoe wilt. Ik vind alles goed.' Meteen nadat hij dat gezegd heeft, loopt hij alweer naar boven en verdwijnt achter de computer.

'Zijn vluchtplaats,' denkt Mieke.

Eigenlijk is ze alweer aan het twijfelen over die vakantie. Heeft het enige zin?

Heeft zíj eigenlijk wel zin om met Ed op vakantie te gaan? Wil ze wel een week met hem samen zijn? Er is nu al zo'n spanning in de uurtjes die ze samen thuis zijn. In de vakantie kan Ed zich niet verschuilen achter de computer. Hoe zal dat gaan? En dan nog een belangrijk punt: wil ze Ruben wel een week achterlaten? Ook al is hij in vertrouwde handen bij haar moeder, ze zal hem toch erg missen. Kunnen ze niet net zo goed een huisje in Nederland huren en hem meenemen? Ze komt er niet uit.

De volgende dag zet ze Ruben achter in de auto en rijdt naar haar ouders. Haar moeder is aangenaam verrast wanneer ze Mieke opeens voor de deur ziet staan.

'Miek, wat een verrassing! Maar had toch eerst even gebeld. Voor het zelfde geld was ik niet thuis geweest.'

Ze heeft de maxicosy met de slapende Ruben al van Mieke overgenomen. 'Kom, we zetten dit mannetje lekker in de koele woonkamer, en wij gaan in de tuin zitten.' Mieke heeft nog steeds niks gezegd. Ze laat zich door haar moeder in een tuinstoel zetten en zucht diep. Wanneer haar moeder haar over het haar strijkt, begint ze te huilen.

'Mam, ik weet het echt niet meer.' En wanneer haar moeder haar afwachtend aankijkt: 'Die vakantie bedoel ik. Ik wil Ruben helemaal niet missen, en eigenlijk wil ik, geloof ik, ook helemaal niet met Ed op vakantie.'

'Houd je niet meer van hem, Miek?'

'Ik weet het niet! Ik geloof van wel, maar hij houdt niet van mij, ook al beweert hij regelmatig van wel. En eigenlijk ben ik gewoon bang, geloof ik. Ik ben bang dat als we samen weggaan, dat dan echt duidelijk zal worden dat het niet meer gaat tussen ons. En, o mam, eigenlijk wil ik hem niet missen. Ik wil de oude Ed terug.'

'En toch denk ik dat het goed is die confrontatie aan te gaan. Zo kun je ook niet doorgaan, dat weet jij beter dan ik. En ik denk dat Ed dat ook wel beseft. Ik heb er natuurlijk de afgelopen dagen veel over lopen denken. Al verzet hij zich er nog zo tegen, hij zal toch een keer open kaart moeten spelen. Hier ga jij aan kapot, maar hij ook. En ik denk dat hij dat ook wel beseft. Maar op een of andere manier lijkt hij ook bang te zijn. Misschien bang jou te kwetsen, jou te verliezen, zijn baan te verliezen of gewoon zijn gezicht te verliezen. Wat er met hem aan de hand is, weet ik natuurlijk ook niet. Is hij ziek? Is er iets gebeurd op zijn werk? Is hij overspannen? Psychische problemen? Het blijft gissen. Als jij het niet weet, dan ik natuurlijk helemaal niet. En of het weer helemaal goed komt? Miek, natuurlijk kan ik je dat ook niet beloven. Maar ik denk dat alles beter is dan dit. En daarom denk ik echt dat het goed zal zijn er even helemaal tussenuit te gaan samen. Even helemaal op elkaar aangewezen zijn. In een totaal andere omgeving. En maak je over Ruben geen zorgen. Hij is hier in prima handen, en het is ook in zijn belang dat het tussen jullie opgelost wordt. Want al is hij nu nog zo klein, bedenk dat ook kleine kinderen spanningen haarfijn aanvoelen. Nee, dat zeg ik niet om je een schuldgevoel aan te praten, maar om je te laten zien dat dat weekje logeren bij zijn opa en oma ook in zijn belang is. Want ik hoop en bid, Mieke, dat jullie elkaar weer zullen vinden. En dat, wat er ook aan de hand mag zijn, jullie er toch weer uit zullen komen. En die hoop en verwachting mag jij ook niet loslaten. Wat kan er nou groter zijn dan jullie liefde voor elkaar?'

Mieke kijkt haar moeder aan, een beetje verrast.

'Weet je dat ik dat ook zo vaak gedacht heb? Wat kan er nou groter zijn dan onze liefde? Een beetje naïef misschien, maar toch. Wat kan er nou zijn, dat zo erg is dat er niet over te praten valt? Ja, als hij verliefd op iemand anders geworden zou zijn. Dat zou groter kunnen zijn dan onze liefde. Maar weet je, mam, dat geloof ik eigenlijk niet. Maar wat dan wel? Op de een of andere manier zit hij zo enorm in de knoop met zichzelf. Soms denk ik dat het iets te maken heeft met de geboorte van Ruben, want rond de tijd van mijn zwangerschap is het allemaal begonnen. Heel langzaam, heel ongrijpbaar. Maar als ik zie hoe dol hij op dat mannetje is, dan weet ik dat dat het toch ook niet kan zijn. En zo maal ik maar door. Wat is er nog meer gebeurd in die tijd? De verhuizing van zijn ouders. Heeft het iets met vroeger te maken? Maar wat zou dat dan kunnen zijn? Hij is in die tijd ook gestopt met het jeugdwerk in de kerk. Is daar iets gebeurd? Maar eigenlijk heb ik meer het idee dat dat stoppen juist het gevolg was van zijn onvrede met wat dan ook. En weet je wat ik soms ook denk? Dat hij boos is op God. Soms zegt hij dingen ... En naar de kerk gaan we ook bijna niet meer. Als Ed moet werken, ga ik soms nog en breng ik Ruben naar de crèche. Maar als hij vrij is, heeft hij elke week een andere smoes: hij is te moe, hij heeft hoofdpijn of iets anders. En de laatste tijd ga ik dan zelf ook maar niet. En eigenlijk durf ik er niet eens meer over te praten. Het is allemaal zo totaal niks voor Ed. Tenminste, de Ed met wie ik trouwde. Dat weet je zelf wel: altijd druk met het jeugdwerk en vol enthousiasme voor evangelisatie. En moet je nu zien. Ach, ik val in herhalingen, geloof ik, ik kom er niet uit, ik weet het ook niet meer.'

'Meisje, kon ik je maar helpen, kon ik het maar voor je oplossen.' Moeder is naast Miekes stoel komen staan en slaat haar beide armen om haar heen. Ook over haar wangen lopen tranen.

'Ach mam, je weet niet hoe blij ik ben dat ik er eindelijk met iemand over kan praten; je helpt me daar al zo mee.'

Wanneer er gehuil vanuit de woonkamer klinkt, staat Mieke op. 'Wil je Ruben pakken? Dan maak ik zijn fles even warm.'

Terwijl de fles in de magnetron staat, houdt ze haar hoofd onder de koude kraan.

Later, wanneer Ruben op een kleed op het grasveld ligt en zich vermaakt door te kijken naar al die zacht bewegende bloemen en planten om hem heen, pakt Mieke het gesprek weer op.

'De eerste week van augustus kan Ed al vrij nemen; zou dat bij jullie uitkomen?'

'Natuurlijk, wij gaan pas half september op vakantie. Dat valt mee, zeg, dat hij midden in het hoogseizoen toch nog een weekje kan nemen, zo kort van tevoren aangevraagd.'

'Ja, eigenlijk is dat zo. Daar had ik nog niet eens zo over nagedacht. Als we nog maar iets kunnen boeken op zo korte termijn. Ik zal er meteen achteraan gaan morgen. Want je hebt denk ik wel gelijk, mam, er moet iets gebeuren. En misschien als we helemaal ergens anders zijn, wie weet, komt er dan toch op de een of andere manier een opening, een oplossing.'

Wanneer ze later die dag naar huis rijdt, voelt Mieke zich toch rustiger dan op de heenweg.

Door erover te praten, is het alsof alles wat overzichtelijker is geworden. En mam heeft gelijk: zó gaat het niet langer. En wie weet, wie weet wat een vakantie samen kan brengen! Haar oude optimisme komt heel voorzichtig weer een beetje naar boven.

'We zijn ons huwelijk toch samen met God begonnen? Dan zal Hij toch ook niet toestaan dat het stukloopt? Of mag ik zo niet denken? Ik wil het, Heer, ik wil dat het goed komt! Help toch alstublieft!'

Dan rijdt ze de parkeerplaats voor haar huis op.

De volgende dag gaat ze meteen naar het reisbureau. Ed is thuis bij Ruben.

'Wil je niet mee?' heeft ze gevraagd. Maar Ed zei dat hij alles goedvond en dat hij net zo lief thuis bij Ruben bleef.

'Lekker geïnteresseerd!' denkt Mieke terwijl ze naar het reisbureau fietst. Maar vooruit, ze wil het positief bekijken. Zo veel zal er ook wel niet meer te kiezen zijn aan bestemmingen. Het is midden in de zomervakantie.

Op het reisbureau wordt ze heel aardig geholpen. De keus is inderdaad niet zo groot meer, maar toch zijn er nog verschillende bestemmingen waaruit ze kan kiezen.

Ze neemt een optie op een hotel op het Griekse eiland Rhodos. Ed en zij zijn daar beiden nog nooit geweest. Het hotel ligt dicht bij het strand, en vooral Ed houdt erg van de zee.

Bijna vrolijk fietst ze even later naar huis. Ze heeft afgesproken dat ze vandaag nog zal laten horen of de optie een boeking moet worden, maar ze wil het toch eerst even aan Ed laten zien. Hij moet het ook echt leuk vinden. Dan kan het, wat de bestemming betreft, in elk geval niet mislukken.

En verder ... ach verder wil ze eigenlijk niet meer denken. Soms denkt ze dat ze misschien haar kop steeds in het zand steekt. Ze wil gewoon niet accepteren dat het echt verkeerd kan gaan tussen Ed en haar. Het kan gewoon niet. Als hij nou maar eens wilde praten, echt praten. Vertellen wat er aan de hand is, waar hij mee zit. Diep in haar hart is Mieke er nog steeds van overtuigd dat het weer goed zal komen. Maar dan zal Ed wel moeten gaan praten. Wellicht hulp zoeken. Want dat hij psychisch in de knoop zit, is wel duidelijk. En toch voelt ze dat Ed de waarheid spreekt wanneer hij zegt dat hij van haar houdt.

'En zolang die liefde er is,' denkt ze, 'kan het niet echt mis gaan'.

'Houd je nog van Ed?'

In gedachten hoort ze de vraag van haar moeder weer. Natuurlijk houdt ze van Ed! Maar houdt ze ook van de Ed die hij steeds meer lijkt te worden? Kan ze van hem blijven houden, ook nu hij zich steeds meer van haar af lijkt te keren? Haar helemaal niet nodig lijkt te hebben? Houdt ze echt nog van de man die zegt dat hij van haar houdt, maar haar steeds weer kwetst door zijn afwijzing?

'Belooft u hem lief te hebben en trouw te zijn in ziekte en gezondheid? In goede en in slechte dagen, totdat de dood u scheidt?'

Ja, slechte dagen, dat kun je dit wel noemen! Of is Ed ziek?

Ze ziet zichzelf nog staan, Eds hand in de hare. Natuurlijk beloofde ze dat!

Maar nu? Hoe ver gaat dat, die trouw, en vooral die liefde?

Wat betekent het eigenlijk dat ze steeds weer tegen zichzelf moet zeggen dat ze van Ed houdt?

Wanneer ze haar fiets thuis in de schuur zet, is er weinig overgebleven van het blije gevoel waarmee ze wegfietste bij het reisbureau.

16

ANNEMARIE RIJDT LANGZAAM NAAR HUIS. NET ZAG ZE MIEKE HET REIS-
bureau uit komen. Ze hebben elkaar gegroet. Mieke zag er vrolijk uit,
vindt ze. Natuurlijk, waarom zou ze ook niet? Een leuke man, een lieve
baby en nu zeker ook nog een reisje geboekt. Toe maar!
Even is het door haar hoofd geschoten dat dit een mooie gelegenheid
was om een praatje te maken en dan misschien het gesprek op het clubwerk te brengen. Maar ze kon het niet. Stel dat Mieke haar gevraagd zou
hebben mee naar huis te fietsen voor een kop koffie! Daar heeft ze echt
geen zin in. Ze kan het gewoon niet. Erik moet dit zelf maar regelen.
Ze heeft geen tijd ook trouwens. Ze wil vandaag de slaapkamer een
goede beurt geven. Het is ook nog eens haar enige vrije dag deze week,
dus moet ze het meeste huishoudelijke werk doen. En dat doet ze graag!
Hoe drukker ze zich maakt, des te minder tijd heeft ze om te denken.

Ed reageert onverwacht enthousiast wanneer hij de reisgids bekijkt.
'Hartstikke leuk, Miek! Waarom heb je niet meteen geboekt? Weet je
wat, ik rijd vanmiddag voordat ik ga werken wel even langs het reisbureau en leg het gelijk vast.'
Wanneer ze hem later nakijkt terwijl hij wegrijdt, schud ze ongemerkt
het hoofd. Natuurlijk, het is fijn dat Ed zo goed reageerde. Maar ze heeft
dit al zo vaak meegemaakt. Ze heeft al zo dikwijls gedacht dat het weer
beter ging. Maar het duurde nooit langer dan hoogstens een dag. Dan
zakte Ed weer terug in zijn somberheid, zijn afwezigheid.
'Manisch depressief' is dat een term die van toepassing is op Ed? Als dat
zo is, zijn daar waarschijnlijk ook wel medicijnen voor. Zou dat de oplossing zijn? Maar wat is depressief eigenlijk? Wat houdt het in?
'Zal ik er toch maar met de dokter over praten?' tobt ze. 'Of is dat verraad aan Ed?'
Opeens vastbesloten pakt ze de telefoon. Als dokter De Wit terug is,
maakt ze een afspraak. Zo niet, dan wacht ze eerst de vakantie af.
Ze heeft geluk. De assistente vertelt haar dat dokter De Wit er inderdaad
weer is en dat ze voor de volgende ochtend een afspraak kan maken.

Ziezo, nu doet ze tenminste iets. Deze arts kent Ed al bijna zijn hele leven. Hij kan de situatie wellicht goed inschatten. Ze hecht waarde aan zijn oordeel. Zelfs als hij morgen zegt dat het waarschijnlijk aan haar ligt, zal ze dat ook aannemen en moet zij misschien in therapie. Want misschien heeft ze echt een postnatale depressie en ziet ze dat zelf helemaal niet. Want zou je dat van jezelf weten, als je zoiets hebt? Ze heeft er in haar omgeving nooit mee te maken gehad. Misschien ziet je hele omgeving dat, maar jij niet.

Net zoiets dus als je man een ander heeft. Dat schijnt ook altijd de hele omgeving te weten behalve jijzelf.

Dus dat kan het ook nog steeds zijn ... Maar waarom zou Ed dan steeds zeggen dat hij van haar houdt? Kan hij misschien niet kiezen tussen haar en die ander?

En wat doet hij eigenlijk zo vaak achter die computer? Wat zoekt hij op internet? Zou hij daar iemand ... Dat hoor je toch ook zo vaak tegenwoordig? Misschien is hij gaan chatten met iemand die hem goed begrijpt, die hem meer aanspreekt dan zij, Mieke. Wellicht is hij zo verliefd geworden op die andere vrouw. En weet hij niet meer hoe hij nu verder moet. Zou dat het zijn?

Langzaam loopt Mieke naar boven. Ze gaat achter de computer zitten, zet hem aan.

Er moet een manier zijn om te controleren welke sites de laatste tijd gezocht zijn. Of heeft ze dat verkeerd begrepen? En als dat zo is, hoe kom je daarop?

Ze heeft eigenlijk bar weinig verstand van die dingen. Ze kan een nieuw mailtje lezen, er een versturen; ze kan in Word iets typen en uitprinten en daar houdt het eigenlijk wel zo'n beetje mee op.

Ze klikt internet aan, probeert wat, maar wat ze zoekt, vindt ze niet.

'Waar ben ik mee bezig?' zegt ze opeens hardop. 'Waar ben ik in vredesnaam mee bezig?'

Beschaamd sluit ze het programma af, zet de computer uit. Met haar hoofd in haar handen blijft ze zitten.

'Ik ben echt gek aan het worden,' denkt ze, 'echt knettergek.'

De tranen lopen over haar gezicht. Haar hoofd bonkt weer.

In het kamertje naast haar hoort ze Ruben jengelen. Ze gaat naar hem toe en haalt hem uit zijn bedje. Ze houdt hem dicht tegen zich aan.
'Jouw moeder is gek, jongetje, gewoon stapelgek.'
Hij pakt met twee handjes haar haren vast en ziet de tranen niet die over haar wangen stromen.

Wanneer ze de volgende ochtend in de wachtkamer op haar beurt zit te wachten, is ze ontzettend zenuwachtig. Wat moet ze zeggen, hoe moet ze het zeggen, ja moet ze het eigenlijk wel doen? Tegen Ed heeft ze gezegd dat haar medicijnen bijna op zijn en dat ze nieuwe gaat vragen. Hij heeft vandaag weer avonddienst, dus ze hoefde geen oppas voor Ruben te regelen.
De patiënt die vóór haar aan de beurt was, komt de spreekkamer uit. Mieke zit op het puntje van haar stoel. Het liefst zou ze nog weglopen. Maar de deur gaat alweer open. Dokter De Wit komt om de hoek.
'Mieke Smit,' zegt hij.
Ze staat op en gaat bij hem naar binnen.
Hij zit alweer achter zijn bureau en kijkt vluchtig even op het computerscherm. Dan kijkt hij haar vol aan, leunt een beetje achterover en zegt vriendelijk: 'Mieke, vertel het eens.'
En opeens is het niet moeilijk meer. Ze praat en praat. Eerst nog wat chaotisch door elkaar, maar allengs steeds rustiger.
Hij valt haar niet één keer in de rede. Pas wanneer het even stil is, begint hij te praten.
'Dat is niet niks, wat je me daar allemaal vertelt! Je vraagt wat ik ervan denk. Nou, laat ik je vertellen dat ik in ieder geval denk dat jij geen postnatale depressie of wat voor depressie dan ook hebt. Het is jammer dat dat met mijn collega niet helemaal goed verlopen is, maar ik kan me wel voorstellen dat hij die diagnose gesteld heeft. Want waarschijnlijk heb je hem het een en ander wat beknopter verteld dan nu aan mij, of vergis ik me daarin?'
Mieke schudt het hoofd. 'Nee, dat klopt wel. Ik vond het nogal moeilijk om over te praten tegen iemand die ik helemaal niet kende; het voelde ook niet helemaal eerlijk tegenover Ed. Nu eigenlijk ook niet. Maar

dit is toch anders. U kent hem al zo lang en ik weet het ook echt niet meer.'

Nu huilt ze weer, en dat wil ze eigenlijk niet.

'Sorry,' zegt ze, 'maar ik ben zo moe, zo vreselijk moe van alles.'

Dokter De Wit zit met zijn hoofd in zijn hand voor zich uit te kijken. Hij schud zijn hoofd zachtjes heen en weer. 'Ja, ik ken hem al zo lang,' zegt hij zacht voor zich heen.

Dan kijkt hij Mieke weer aan.

'Mieke, hoe graag ik ook zou willen, ik kan je geen pasklaar antwoord geven. Ik weet het natuurlijk ook niet. Ik zou erg graag eens met Ed willen praten. Zou hij dat willen, denk je?'

Ze schudt haar hoofd. 'Ik ben bang van niet. Ik heb al zo vaak gezegd dat hij zich moet laten nakijken, dat hij ziek kan zijn of zo, maar daar verzet hij zich altijd heftig tegen.'

'Ik denk ook niet dat hem lichamelijk iets mankeert,' zegt doker De Wit. 'Hij is hier ook al lang niet geweest. Ik denk eerder dat hij psychisch met iets in de knoop zit. Al ga ik nu eigenlijk al buiten mijn boekje, want ik heb mijn plicht tot geheimhouding, zelfs tussen man en vrouw. Maar nu ben jij mijn patiënt, en wil ik jou graag helpen. Die vakantie vind ik trouwens een heel goed idee. Een week samen, echt samen. Probeer een ontspannen sfeer te creëren, probeer elkaar ook lichamelijk weer nader te komen. En laat je niet te gauw afwijzen, Mieke. Dat klinkt misschien raar, maar soms moet je de dingen een beetje forceren om tot een doorbraak te komen. In dit geval wellicht een doorbraak voor Ed om te gaan praten over wat hem dwarszit. En wat daar dan ook uit komt, is altijd beter dan dit. Dat ben je toch met me eens, denk ik?'

'Wat denkt u dan dat er bijvoorbeeld tevoorschijn zou kunnen komen? Het lijkt of u ergens op zinspeelt! Weet u meer dan u zegt? En waarom vertelt u dat niet aan me?'

Ze heeft de rand van het bureaublad met twee handen vast gepakt en kijkt de arts beschuldigend aan.

'U weet het hè, maar u wilt het me niet vertellen.'

'Mieke! Ik weet niets. Rustig maar. Ik zeg je alleen heel eerlijk dat ik denk dat hij op de een of andere manier ergens heel erg mee zit. Maar ik weet het ook echt niet. Ik heb hem al heel lang niet gesproken. Maar ik geef je die raad uit een stukje praktijkervaring. Dit hele gedoe duurt al veel te lang. En hoe langer het duurt, des te hoger de drempel waarschijnlijk wordt voor Ed om erover te praten. Met jou of met wie dan ook. Terwijl hij toch onderhand het gevoel moet hebben dat hij zo ook niet langer door kan gaan. Daarom wil ik je het volgende voorstellen: ga eerst op vakantie. Probeer elkaar nader te komen. Heb geduld met Ed. Ook op seksueel gebied. Misschien ligt daar zijn probleem. Heeft hij daarin faal-angst of iets dergelijks. Neem tijd voor elkaar. Maar sta hem niet toe weg te lopen, letterlijk of figuurlijk. Ik hoop van harte dat die vakantie din-gen duidelijk maakt. Zo niet, dan wil ik meteen na de vakantie een gesprek met Ed. Als hij dat niet wil, bel je mij. Dan zal ik hem er per-soonlijk van proberen te overtuigen dat het in jouw belang is dat hij een keer komt. Dat zal hij niet kunnen weigeren, denk je wel? Verder geef ik je wat voor de hoofdpijn, maar probeer daar terughoudend mee te zijn. Want je weet zelf wel dat die pillen niet echt iets oplossen. De week meteen na je vakantie zie ik Ed hier, of jou of jullie samen. Kun je je vin-den in dit voorstel?'

Mieke knikt.

Wanneer hij haar ten afscheid een hand geeft, houdt hij haar hand even vast, geeft er een bemoedigend klopje op en zegt hartelijk: 'De moed erin houden, hoor, Mieke. Veel sterkte; ik begrijp dat dit heel moeilijk voor je is.'

Wanneer ze thuiskomt, vraagt Ed: 'Hoe was het? Wat zei De Wit en wat heb je allemaal verteld?'

'Ik heb andere pillen gekregen voor de hoofdpijn. Hij denkt niet dat ik een postnatale depressie heb, maar dat weten we zelf eigenlijk ook wel, hè? Hij vindt de vakantie een goed idee en stelde voor dat jij na de vakantie een keertje bij hem langs gaat!'

'Ik? Waarom? Ik ben niet ziek, hoor. Dat heb ik je al zo vaak gezegd.' Zijn stem klinkt alweer boos. Of is het bang?

Mieke zucht. 'Geduld hebben, zei de Wit' denkt ze. 'Hij zei ook niet dat hij denkt dat jij ziek bent, maar hij wil gewoon een keer met jou over de hele situatie praten, hoe het met mij gaat en zo.'

'Lijkt me zinloos.'

Er klinkt afweer in zijn stem.

'Echt nergens voor nodig. Het komt vanzelf weer goed. Overal is wel eens wat. Daarmee ga je toch niet meteen naar je huisarts?'

De dagen die hen nog scheiden van de vakantie, gaan erg snel voorbij. Ed doet krampachtig zijn best om gewoon te doen. Tenminste, zo ervaart Mieke het. Hij is vriendelijk, maar wel heel afstandelijk. Het is alsof hij bang is zich te branden als hij haar aanraakt.

Wanneer hij naar zijn werk vertrekt, geeft hij haar een snelle oppervlakkige kus op haar wang en 's avonds wanneer Mieke naar bed gaat, zit hij achter de computer of gaat opeens de deur uit om 'even een frisse neus te halen'. Hij vraagt nooit of ze meegaat, en Mieke vraagt ook nooit waar hij naartoe gaat. 'Hoe kan het toch zo ver gekomen zijn,' denkt Mieke terwijl ze alleen in bed ligt en met brandende ogen in het donker van de nacht tuurt. Ze probeert te bidden, maar God is ver en de hemel is gesloten.

17

EEN WEEK VOOR HET VERTREK WORDT ER GEBELD VANAF HET REISBUREAU. De tickets liggen klaar en kunnen worden opgehaald. Het regent de hele dag al. Daarom voelt Mieke er niks voor om met Ruben in de wagen naar buiten te gaan. Wanneer Ed om vier uur thuiskomt, stapt ze gauw op de fiets om de spullen te gaan halen. Ze is vlak bij het reisbureau wanneer er een auto achter haar afremt en dan zachtjes naast haar komt rijden. Mieke kijkt opzij en herkent tot haar verbazing Emma. Emma rijdt haar voorbij, stopt aan de kant en stapt uit. 'Hé, schoonzus, ga jij net weg?'

'Emma, wat leuk! Waar kom jij nou vandaan? Ik wilde even naar het reisbureau, onze vakantiepapieren ophalen, maar dat kan een andere keer ook. Wat gezellig! Ed is ook al thuis. Ik ga gauw terug. Je blijft toch wel eten?'

Al pratend heeft ze haar fiets al omgekeerd.

'Joh, ga gewoon doen wat je van plan was. Ik ga alvast naar Ed. En ja, als het kan, blijf ik graag eten. Zie ik mijn kleine neef ook weer eens! Gaat het wel goed met je? Als het te druk is, moet je het zeggen, hoor.'

'Nee joh, het gaat prima. Juist leuk je weer te zien. Ik ga vlug naar het reisbureau. Ik zie ik je zo thuis.'

Het is druk op het reisbureau. Er zijn verschillende mensen vóór haar. Zal ze toch naar huis gaan en morgen terugkomen? Maar dan heeft ze zich voor niks nat laten regenen. En morgen kan het wel weer slecht weer zijn; dan gaat ze er liever niet uit met Ruben.

Maar ze wil eigenlijk Ed en Emma niet te lang samen laten. Ze zag die onderzoekende blik van Emma net wel. Emma kan zo direct zijn, en Ed kan tegenwoordig zo raar reageren. Ze is er maar liever bij.

Maar dan is ze toch aan de beurt, en even later fietst ze met de reisdocumenten in een plastic tasje naar huis.

Hè, ze krijgt er nu toch eigenlijk best zin in. Nu ze de tickets in handen heeft, begint het echt dichtbij te komen. Deze vakantie moet goed worden! Ze wil erin geloven. Ed en zij samen, een hele week lang weg van alles en iedereen. Er moet gewoon een opening komen om te praten.

Wanneer ze tien minuten later haar fiets in de schuur heeft gezet, kijkt ze zoekend naar de parkeerplaats. Waar staat Emma's auto?

Binnen vindt ze Ruben, die lief in de box ligt te spelen, en Ed, die met een strak gezicht voor de tv zit te zappen.

'Hé, waar is onze gast?' vraagt ze verbaasd.

'Gast?' mompelt Ed. 'Welke gast?'

'Is Emma er dan nog niet?'

Hij kijkt haar niet aan en zapt door terwijl hij zegt: 'O, Emma. Heb je haar zien rijden? Ja, ze is even langs geweest, maar ze had een afspraak en daarom geen tijd om op jou te wachten. Ze kwam zomaar even langs tussen twee afspraken door.'

Mieke kijkt hem aan. Ze weet even niet wat ze moet zeggen.

'Wat kijk je nou raar? Geloof je me soms niet? Had ik haar tegen haar zin vast moeten houden of zo?' Zijn stem klink agressief.

Mieke staat nog steeds bij de deur en zegt niks.

Ed staat op. 'Ik moet trouwens nog even weg. Hoe laat eten we?'

Zonder antwoord af te wachten grist hij zijn jack van de kapstok en loopt de deur uit.

Mieke zakt neer op de dichtstbijzijnde stoel.

'Zes uur,' zegt ze tegen de dichte deur.

'Zes uur eten we, samen met Emma, en dan kijken we eerst gezellig samen de reispapieren door ...'

Ze kijkt naar haar hand alsof ze verbaasd is dat ze het plastic tasje van het reisbureau nog steeds vasthoudt. Dan smijt ze het met een vaart van zich af, tegen de muur.

Ze weet niet hoelang ze zo heeft gezeten. Doodstil. Ze huilt niet eens. Daar is ze te moe voor.

Pas wanneer Ruben in de box begint te mopperen, komt ze tot zichzelf. Automatisch tilt ze het ventje op en loopt met hem de trap op. Stopt zijn speentje in zijn mond en legt hem in zijn bedje.

Weer beneden gekomen kijkt ze op haar horloge. Kwart voor zes. Ze zet water op voor de pasta, snijdt een ui en een prei in kleine stukjes en doet de kipfilet in de braadpan. En nog altijd kan ze niet goed nadenken. Wat gebeurt er toch allemaal? Is ze misschien toch zelf helemaal gek aan het worden? Of is er iets gebeurd tussen Ed en Emma in dat kwartiertje dat ze samen waren? Heeft Emma in die tijd een telefoontje gekregen waardoor ze meteen weer weg moest. Maar waarom zegt Ed dat dan niet gewoon? En waarom loopt hij met zo'n verbeten gezicht meteen de deur uit? Is hij boos omdat ze niet thuis was toen Emma kwam, of had hij geen zin in bezoek en heeft hij haar met een smoes weggestuurd? Of is hij beledigd dat ze kwam en meteen weer weg moest? Blijkbaar heeft Emma niet gezegd dat ze elkaar al gesproken hebben op straat; dat merkte ze wel aan zijn reactie.

Wanneer het eten opstaat, loopt Mieke de kamer weer in. Ze raapt het tasje van het reisbureau op, pakt het mapje met de papieren eruit en legt dat in een la.

'Bah, die rotvakantie.' Ze heeft er nu echt helemaal geen zin meer in. Ging Ed maar alleen weg, liet hij haar maar lekker met rust!

Ze schrikt van haar eigen gedachte. Is ze al zo ver gekomen? Ja, als ze eerlijk is, moet ze toegeven dat ze het liefst rust zou hebben. Geen vragen, geen problemen, niet steeds op je tenen lopen. 'Doe ik het niet fout?' of 'Hoe zal hij reageren?'

Terwijl ze de pasta afgiet, hoort ze de voordeur opengaan. Ed steekt zijn hoofd om de hoek van de keukendeur.

'Bah, wat een weer! Mmm, ruikt goed hier! Zal ik de tafel klaarmaken?' Alsof er niks gebeurd is, legt hij een natte hand tegen haar wang.

'Waar heb je het mapje met de reisspullen gelaten? Zullen we daar zo samen even naar kijken? Ik doe eerst even een droge broek aan.'

Even later zitten ze samen aan tafel.

'Wat ben je stil, Miek? Sorry als ik vanmiddag misschien onaardig was. Maar ik was een beetje geïrriteerd door Emma. Komt zomaar even aanrijden en behandelt me alsof ik een klein jongetje ben. Daar kan ik niet zo goed tegen. Laten we haar maar gauw vergeten. Over een week zitten we lekker in de zon. Denk daar maar aan.'

Hier zit weer de vertrouwde Ed.

Mieke zucht. Ligt het dan toch allemaal aan haarzelf? Is ze overgevoelig voor stemmingen? Maar waarom is Emma dan weggegaan, terwijl ze toch heeft gezegd dat ze alle tijd had en graag bleef eten? Is Emma misschien net zo wispelturig als Ed tegenwoordig lijkt te zijn? Ze weet het niet meer en ze is moe, zo moe!

Eds stemmingen zijn heel wisselend. De ene dag is hij stil en teruggetrokken, en de andere dag doet hij geforceerd vrolijk. Ze weet eigenlijk niet wat ze liever heeft.

Ze voelt zich steeds onzekerder. Soms kijkt ze toch wel optimistisch tegen de vakantie aan, verwacht ze er positieve dingen van, en het andere moment is ze ervan overtuigd dat het één groot fiasco zal worden. Nu kan Ed, wanneer hij maar wil, 'vluchten' achter zijn computer, naar zijn werk of met een vage smoes zomaar de deur uit. Straks zullen ze dag en nacht samen zijn, een week lang. Wat, als hij dan nog steeds niet praten wil over wat hem dwarszit? Of erger nog: stel dat hij wel vertelt wat er is, en het blijkt iets vreselijks te zijn? Bijvoorbeeld dat hij toch ernstig ziek is, of verliefd op een andere vrouw of wat dan ook? Dan zitten ze opgesloten op een Grieks eiland tot het eind van de week.

Zo tobt ze de dagen door. De hoofdpijn komt steeds weer opzetten. Ze probeert zuinig te zijn met de medicijnen van dokter De Wit, maar moet ze toch regelmatig nemen om het een beetje vol te houden.

Maandagmiddag, wanneer Ed vertrokken is naar het ziekenhuis, belt ze haar moeder. Het is heerlijk dat er nu tenminste iemand is met wie ze alles kan bespreken.

Ze vertelt het gebeuren van vrijdagmiddag. Emma's bezoek, dat toch blijkbaar geen bezoek was, en Eds reactie.

'Waarom bel je Emma niet gewoon op om te vragen waarom ze zo opeens weer vertrokken is?'

'Ja, ik weet het niet, hoor. Ik heb daar zelf natuurlijk ook wel aan gedacht, maar ik vind het zo raar. Net alsof ik Ed niet geloof. Ik bedoel, dat hoeft zij toch niet te weten?'

'Je kunt toch iets zeggen als: 'Jammer dat je al weg was toen ik thuiskwam', dan reageert ze daar waarschijnlijk vanzelf wel op.'

'Mmm ja, dat zou kunnen. Misschien doe ik dat wel. Mam, ik zie er zo tegen op om weg te gaan en Ruben achter te laten. Ook al weet ik dat hij het prima bij jullie zal hebben. Maar ik zal hem zo missen. En verder zie ik er ook tegen op, ik wou dat ik het terug kon draaien. Ik ben eigenlijk zo bang.'

Ze probeert haar tranen tegen te houden. Mam hoeft niet te horen dat ze alweer huilt.

'Weet je wat, Miek, ik kom morgen een dagje bij je. Is dat goed? Kunnen we samen meteen een beetje uitzoeken wat er vrijdag allemaal mee moet naar ons toe voor Ruben. Vind je dat wat, of liever niet? Dan moet je het ook zeggen, hoor.'

'Graag, mam! Enne ... niks laten merken aan Ed, hoor. Ik bedoel, wat ik van Emma en zo heb verteld.'

Wanneer ze de telefoon heeft neergelegd en nog zit na te denken over het wel of niet bellen van Emma, gaat de telefoon.

'Hallo, Mieke, je spreekt met Emma. Ik heb het hele weekend lopen denken of ik je nou wel of niet zou bellen. Maar het bleef maar in mijn hoofd zitten, dus ik dacht: Vooruit! Het mes erin.'

Ze weet even niet wat ze zeggen moet. Het mes erin? Waarin?

'Ja, nou eigenlijk liep ik er ook over te denken jou te bellen. Ik vond het jammer dat je opeens weg moest vrijdag, en dat we elkaar niet meer gesproken hebben. Maar ja, zaken gaan voor, dat begrijp ik.'

Even blijft het stil.

'Zei hij dat? Dat ik weg moest? Ik had toch tegen jou gezegd dat ik graag wilde blijven eten?'

Mieke voelt zich ongemakkelijk. Wat moet ze nou zeggen? Dat Ed dus heeft gelogen, zoals hij tegenwoordig zo vaak doet? Moet ze zeggen dat hun huwelijk een karikatuur is van wat het vroeger was? Dat ze helemaal niet meer weet wat waar is en wat niet?

'Misschien heb ik het verkeerd begrepen of heeft Ed het niet goed gehoord.'

Ze hoort zelf hoe zwak het klinkt. Inderdaad, Emma heeft gelijk: dan maar het mes erin.

'Emma, wil je me vertellen wat er vrijdag gebeurd is?'

'Jaaa ...' Nu hoort ze de aarzeling in Emma's stem.

'We kregen een meningsverschil toen ik nauwelijks binnen was, en toen vroeg Ed me maar liever weg te gaan.'

'Maar waarover dan?'

'Misschien moet je dat maar aan Ed vragen. Ik merkte op dat hij er niet zo goed uitziet en vroeg hoe het met hem ging. Of hij wel gezond is en goed in zin vel zit en zo. Zo kwamen we van het een op het ander. Hij ging meteen heel erg in de verdediging en toen heb ik ook dingen gevraagd en gezegd die ik waarschijnlijk beter niet had kunnen zeggen. Over vroeger en zo ...'

Ze valt even stil.

'Nou, toen werd hij vreselijk kwaad en zei dat hij me voorlopig niet meer wilde zien. Het spijt me, Mieke, maar ik denk echt dat het goed was dat ik toen ook ben gegaan. Alleen, ik vond het wel heel vervelend voor jou. Gaat het wel goed met je, met jullie? Want eerlijk gezegd vond ik jou er nou ook niet echt florissant uit zien.'

'Het gaat wel, hoor. Aanstaande vrijdag gaan we een weekje samen op vakantie; dat heb je misschien wel van pa en maatje gehoord? Ik hoop dat dat ons goed zal doen. Ik denk, eerlijk gezegd, dat Ed een beetje over-werkt is of zo.'

Het blijft weer even stil.

'Eigenlijk niks voor Emma,' denkt Mieke. 'Zij heeft altijd haar woordje wel klaar'.

'Mieke, kan ik iets voor jullie doen? Als je eens met me wil praten, moet je dat zeggen, hoor. Dan maak ik een dag vrij en kom naar je toe.'

'Goed, ik zal het onthouden. Bedankt, Emma, maar eerst die vakantie maar.'

'Ja, eerst die vakantie maar,' herhaalt Emma. 'Klinkt lekker enthousiast, Mieke! Ik hoor het: je hebt er echt zin in! Beloof me dat je me belt zodra jullie terug zijn. Ik maak me echt zorgen over je! Bel me op en dan maken we een afspraak. Beloof je me dat?'

Wanneer ze heeft neergelegd, zit ze nog een poosje stil naast de telefoon. Op de een of andere manier voelt ze zich een beetje getroost. Die Emma! Daar is ze nou altijd een beetje bang voor geweest. Altijd gedacht dat

Emma koel en afstandelijk was. Maar het laatste halfjaar heeft ze haar wel heel anders leren kennen.

'Bazig' noemt Ed het. Zelf noemt ze het liever 'betrokken'.

Het geeft haar het idee dat ze er niet alleen voor staat. Maar tegelijkertijd geeft het een gevoel dat Emma iets verbergt. Dat ze dingen weet of vermoedt die ze liever niet vertelt.

Toch is Mieke blij dat ze nu weet hoe het vrijdag echt is gegaan. Ze besluit er voorlopig niet met Ed over te praten. Eerst die vakantie maar!

De volgende dag is haar moeder er al vroeg.

Ed moet 's middags pas werken dus zitten ze voor half elf al met z'n drieën aan de koffie. Mieke is gespannen. Als mam nou maar niks zegt waaruit blijkt dat ze niet een beetje, maar ongeveer alles van de situatie weet. En als Ed maar gewoon doet, en niet zo bot als hij tegenwoordig soms kan doen.

Maar het valt erg mee. Wanneer Mieke met de koffie de kamer binnenkomt, zit Ed ontspannen over het ziekenhuis te vertellen, terwijl Ruben bij oma op schoot zijn fles leegdrinkt.

Na een poosje gaat Mieke zich wat beter voelen. En wanneer ze tussen de middag opnieuw met z'n drieën in de kamer zitten, nu om een boterham te eten, is het eigenlijk gewoon gezellig.

'Beeld ik me dan van alles in? Is er helemaal niks mis met Ed? Of speelt hij een rol omdat zijn schoonmoeder erbij is?'

Mieke zucht zachtjes. Ze weet niet wat ze ervan denken moet.

Later in de middag, wanneer Ed vertrokken is, begint ze erover tegen haar moeder.

'Wat denk je nou, mam, als je ons zo samen ziet? Niks aan de hand, waar heeft ze het over?'

'Het valt me vandaag inderdaad mee, maar ik heb andere keren dat ik bij jullie was, of jullie bij ons waren, wel degelijk een stuk spanning gevoeld, ook bij Ed. En ik vind dat hij er slecht uitziet. Dus al lijkt het vandaag nog zo gewoon, ik weet dat dat een bedrieglijke buitenkant is. Zeker ook nadat je verteld hebt hoe het verder gaat. Je had het pas over 'manisch depressief'. Daar moest ik eigenlijk vandaag ook wel aan denken. De ene keer, zoals vandaag, is hij opgewekt, en het andere moment is hij somber en gesloten. Heeft je huisarts iets in die richting gezegd of heb je daar zelf nog verder over nagedacht?'

Mieke haalt haar schouders op.

'Ik weet het niet, hoor. De Wit denkt wel aan iets psychisch, maar of dat nou manisch depressief is, weet ik niet. Ik weet daar eigenlijk zo weinig van. Maar mam, zoals hij vandaag is, dan lijkt hij weer gewoon mijn eigen Ed. En dat vind ik zo moeilijk, dat hij de ene dag zus en de andere dag zo is. Dan ga ik echt aan mezelf twijfelen. Ligt het wel aan hem? Of ben ik de ene dag anders dan de andere? En steeds die hoofdpijn: misschien zit er in míjn hoofd wel iets fout. Of verwacht ik te veel van onze relatie. Misschien moet ik hem gewoon meer ruimte geven. Misschien beperk ik hem te veel, en neemt hij, als reactie daarop, op allerlei gebied afstand van mij ...'

'Nou, dat geloof ik echt niet. En jij weet ook wel beter! Ga je nou niet van alles in je hoofd zitten halen. De eerste tijd dat jullie samen waren, was toch heel anders? Volgens mij is Ed erg veranderd, en niet jij. Dat zul je zelf toch het beste weten. Pas op, Miek, dat je jezelf niet gaat beschuldigen van dingen die niet reëel zijn. Dat heeft geen enkele zin, en je duwt jezelf er alleen nog maar dieper de put mee in.'

'Kon het maar altijd zo zijn zoals vandaag ...'

18

ERIK ZET TWEE BEKERS KOFFIE OP DE TUINTAFEL.

'Kom, An, ik heb ingeschonken hoor! Die ramen zijn nu wel schoon! Morgen gaat het trouwens regenen; al dat werk voor niks. Stop er nou mee.'

Dat laatste klinkt bijna smekend.

'Ik kom er aan, bijna klaar.'

Vanaf zijn tuinstoel kijkt hij naar haar. Secuur gaat de trekker langs het raam. Zijn Annemarie! Hij houdt van haar! Al vanaf hun twaalfde kennen ze elkaar. Ze zaten bij elkaar in de brugklas.

Vanaf het begin was hij gecharmeerd van haar vrolijkheid, haar levenslust. Maar daar is het laatste jaar weinig van overgebleven.

Hij zucht. Het is alsof al haar energie nu op moet gaan in het soppen en boenen. Hij begrijpt het niet helemaal.

Natuurlijk, hij vindt het ook jammer dat ze nog steeds niet zwanger is. Hij was ook teleurgesteld door de twee miskramen. Maar het bepaalt niet zijn leven, zoals bij haar duidelijk wel het geval is. En steeds meer schijnt te gaan doen.

Hij maakt zich zorgen om haar. Ze wil er nauwelijks meer met hem over praten, sluit zich voor hem af. Ze vindt dat hij er te nonchalant over doet. De laatste tijd betrapt hij zich er soms op dat haar houding hem irriteert. Daar schrikt hij zelf van.

'Laat die trap maar staan; die zet ik zo wel weg.'

Ze heeft haar koffie nauwelijks op, of ze staat alweer op.

'Ik doe nog even de binnenkant anders heeft het geen zin. En het wordt zo donker; dan zie ik het niet meer goed. Ik ben zo klaar.'

Erik zegt niks meer. Hij blijft zitten, wat onderuitgezakt. Opeens overvalt hem een somber gevoel. Hoe moet dat toch verder? Het wordt ook steeds gekker! Ze heeft niet eens meer de tijd om even samen koffie te drinken.

En als het nou nodig was! Maar die ramen waren helemaal niet vies. Het is alsof ze tegenwoordig twee keer per week gezeemd moeten worden.

Ach, kwam die baby maar...

Maar dan gaan zijn gedachten als vanzelf naar Ed. Daar is een baby in huis, maar op een of andere manier gaat het daar toch ook niet helemaal lekker.

Ed ... In gedachten beleeft hij het gesprek weer dat hij pas bij Ed aan de voordeur met hem had. Raar! Echt raar was dat. Hoe hij reageerde!

Misschien kan Annemarie de plaats van Ed bij hun club innemen! Hij zit opeens rechtop. Dat is een idee! Dan hoeft hij niet langer bij Ed te soebatten of een ander te zoeken, en voor Annemarie is het meteen een goede tijdsinvulling. Misschien verzet dat haar gedachten weer een beetje.

Hij staat meteen op en loopt naar binnen. Hij onderdrukt een licht gevoel van wrevel wanneer hij in de kamer bijna struikelt over de planten die vanuit de vensterbank allemaal op de grond staan, terwijl Annemarie met een sopdoek de vensterbank schoonmaakt.

'Hé, Anne, ben je bijna klaar? Ik heb eens zitten denken: zou het niet een goed idee zijn als wij samen de jeugdclub gaan draaien? Nu Ed ermee is gestopt, moet er toch snel een ander komen. En waarom zouden wij het niet samen doen. Lijkt me echt tof!'

Ze zet de planten één voor één terug in de vensterbank.

'Mmmm, ik weet niet, hoor. Ik vind dat best een lastige leeftijd. Ik geloof niet dat dat me zou liggen. En al die voorbereidingen ... Daar heb ik ook geen tijd voor. Ga toch nog eens bij Ed langs. Hij kan toch niet zo maar stoppen.

Dat is toch eigenlijk raar, zo kort voor het nieuwe seizoen. Of vraag het eens aan Mieke; misschien word je dan wijzer.

Ik zag haar trouwens pas nog; ze kwam van het reisbureau. Zeker lekker met z'n drietjes op vakantie.'

Met een nijdige plons gaat de sopdoek in de emmer. Het water golft over de rand. Dan lopen de tranen opeens over haar wangen.

'Kom nou eens bij me.'

Alle wrevel is weg. Hij slaat zijn armen om haar heen.

'Lieverd toch! Ik wou dat ik je kon helpen.'

Ze leunt tegen hem aan.

'Probeer toch een beetje optimistisch te blijven. We hebben elkaar toch! En de rest komt ook vast wel goed.'

Hij weet niet wat hij nu weer verkeerd zegt, maar met een ruk draait ze zich om, pakt de emmer en loopt naar de keuken.

19

D<small>E DAGEN VOOR HET VERTREK VLIEGEN VOORBIJ</small>. M<small>IEKE IS DRUK MET HET</small> regelen van allerlei dingen. Vooral voor de logeerpartij van Ruben. Ze is bang dat ze ze iets vergeet mee te geven. Eigenlijk vindt ze het gewoon niet leuk hem zo lang achter te laten, en het idee dat hij iets zal missen zorgt ervoor dat de lijst met spullen die mee moeten, steeds langer wordt. Als ze het met haar moeder bespreekt, moet die een beetje lachen. 'Joh, Miek, hij blijft geen maand logeren! En wat we tekortkomen, kopen we hier wel.'

Maar 's avonds belt ze Mieke op.

'Mieke, ik heb het er nog even met pappa over gehad, en we hebben een ander idee. Wat vind je ervan als wij die week in jullie huis komen? Dan kan Ruben in zijn eigen bedje slapen, jij hoeft niet van alles mee te slepen en ik heb alles bij de hand. Pa moet iets verder rijden wanneer hij gaat werken, maar dat is geen probleem.'

Mieke is opgelucht. Nu hoeft ze zich alleen nog maar druk te maken over wat ze zelf mee moeten nemen naar Rhodos. En dat is eigenlijk zo bij elkaar gepakt.

Hoe dichter de vertrekdatum nadert, des te meer lijkt Ed zich te ontspannen.

'Ik ben er echt aan toe, Miek, ik heb er echt zin in,' heeft hij al een paar keer gezegd. Hij is opgewekt, en Mieke hoort hem zelf fluiten wanneer hij de avond voordat ze vertrekken, het gras nog even maait. Ze blijft verbaasd staan luisteren en kijkt door het keukenraam of dat echt Ed is of dat de buurman misschien toevallig ook buiten is.

Wanneer ze later in bed liggen, neemt hij haar in zijn armen. 'Het komt vast allemaal goed, Miek. Ik hou van je!' Dan laat hij haar weer los en draait zich om. 'Slaap lekker.'

Mieke ligt heel stil op haar rug. Even dacht ze dat hij wilde vrijen, maar even plots als hij zijn armen om haar heen sloeg, heeft hij haar weer losgelaten. Maar toch ... Dit was al zo lang niet meer gebeurd. En zijn goede humeur van de laatste dagen, zijn woorden van zonet, ze geven haar toch weer nieuwe hoop. Was hij dan toch overwerkt? Dat het idee van vakan-

tie hem al zo oppept? Maar dan schiet ook een andere gedachte door haar hoofd: heeft het toch te maken met Ruben? Sinds de zwangerschap en de geboorte is hij zo veranderd. En nu ze samen weg gaan, zonder Ruben, is hij zo opgewekt. Zou dat het toch zijn? Maar ze ziet toch ook elke dag hoe gek hij op zijn zoon is. Dus dat klopt ook weer niet.
Wanneer Ed allang slaapt, ligt Mieke nog te tobben.

De volgende ochtend komen Miekes ouders al bijtijds. Ook Ed en Mieke zijn vroeg opgestaan. Ed heeft nog wat boodschappen gedaan, terwijl Mieke hun bed verschoont en de laatste rommeltjes opruimt, zodat opa en oma een kant-en-klaar huis aantreffen.
Direct na de lunch zal pa hen naar Schiphol brengen, want hun vlucht gaat om tien over vijf.
Hoewel Mieke weet dat Ruben in prima handen is, vindt ze het toch heel moeilijk afscheid te nemen. Ze blijft maar met hem in haar armen staan, totdat Ed zegt: 'Nou, geef mij die jongen nou ook eens even; hij wil zijn vader ook nog wel even gedag zeggen.'
Ten slotte neemt moeder hem resoluut over van Ed.
'Ziezo, pappa en mamma, ga nu maar! Ik vind het hartstikke leuk, zo'n weekje met opa en oma! Tot volgende week.'
Mieke heeft moeite om niet te huilen wanneer ze wegrijden. Ze ziet Ruben op haar moeders arm voor het raam. Oma tilt zijn armpje op en laat hem zwaaien. Het is zo'n schattig gezicht, dat ze toch moet lachen. Ed, die voorin naast pa zit, draait zich half om en geeft een kneepje in haar knie. Dan kan ze het ook loslaten. Natuurlijk zal Ruben het goed hebben. Ze wil daar niet over blijven tobben. Deze week wil ze gaan genieten, en ook, misschien wel vooral, werken aan hun relatie. Ze kijkt naar Ed die ontspannen naast zijn schoonvader zit.
Deze vakantie moet gewoon een nieuw begin worden.

Ze hebben een rustige vlucht. Mooi op tijd vertrokken en dus ook op tijd geland. Het wachten op de bagage duurt ook niet lang en het hotel is maar een halfuurtje rijden vanaf het vliegveld. Voor tien uur zijn ze op hun hotelkamer, en het eerste wat Mieke doet, is even naar haar ouders

bellen. Wanneer ze hoort dat alles goed gaat en Ruben lekker ligt te slapen, is ze helemaal gerustgesteld.

Ze hebben een mooie kamer, driehoog aan de achterkant van het hotel,
met uitzicht op het zwembad.

'Zullen we beneden nog wat drinken?' stelt Ed voor wanneer Mieke
de koffer open heeft gemaakt en wat kleren in de kast heeft opgehangen.

'Ja, lekker, maar ik blijf niet te lang zitten. Ik ben hartstikke moe.'

Ze zitten beneden een halfuurtje op het terras. Het is er nog gezellig
druk. Maar na een glaasje wijn zegt Mieke: 'Ik weet niet wat jij doet,
maar ik ga naar bed.'

'Ja, ik ga mee.'

Maar terwijl Mieke al onder het dekbed ligt, staat Ed nog op het balkon.
Ze hoort hem schuiven met de stoelen en het tafeltje.

'Kom je nog niet naar bed?'

Hij komt de kamer binnen en geeft haar een kus op het voorhoofd.

'Ga maar vast slapen; ik kom zo. Ik blijf nog even op het balkon zitten.
Het is zo lekker buiten, en ik heb eigenlijk nog geen slaap.'

'Goed begin!' denkt Mieke, wanneer hij weer naar het balkon gelopen is.
Wat zei De Wit ook alweer? Sta hem niet toe weg te lopen. Nou ja, ze
kan hem moeilijk het bed in sleuren! En ze is moe, zo moe. Morgen, ja
morgen gaat ze ervoor!

De eerste dagen van de vakantie verlopen rustig. Ze vinden het allebei
heerlijk om lekker een beetje te lezen en te zwemmen. Het zwembad is
erg druk en vol. Je moet er 's morgens al vroeg bij zijn om een ligstoel te
bemachtigen. Als ze om een uur of elf in het zwembad komen, zijn
meestal alle stoelen al bezet.

Vanaf haar balkon heeft Mieke gezien hoe dat komt. Al vanaf negen uur
komen er gasten, die hun badlaken uitspreiden over een stoel en dan
weer weggaan. Waarschijnlijk om rustig te ontbijten of zo. Maar zo zijn
ze later wel verzekerd van een plekje. Ed moet erom lachen.

'Dan ga jij toch morgen om half negen je handdoek brengen.'

Maar Mieke ergert zich eraan.

'Belachelijk,' vindt ze. 'Daar doe ik echt niet aan mee. Kom, dan gaan we naar het strand. Daar is plaats genoeg.'

En eigenlijk vinden ze het strand wel zo fijn. Het waait er wat meer en zwemmen in zee is heerlijk.

's Avonds zoeken ze een leuk restaurantje waar ze eten, en later zitten ze op een terrasje of op hun eigen balkon.

Ed is ontspannen en vrolijk. Soms denkt Mieke dat het afgelopen jaar niet bestaan heeft of alleen een boze droom is geweest. Het is heerlijk dat Ed weer zo zichzelf lijkt te zijn, maar het maakt het daardoor wel moeilijker te praten over de problemen.

Wanneer Mieke er de tweede dag voorzichtig over begint wanneer ze op het strand zitten, pakt hij haar hand en zegt: 'Ach, Miek, het gaat toch goed nu. Ik was gewoon aan vakantie toe. Toe, laat het maar rusten. We praten er nog wel eens over, maar nu niet. Het komt echt goed.'

Maar 's avonds wanneer ze in bed liggen, weet Mieke dat het niet allemaal goed is.

Ze is dicht tegen hem aan gaan liggen. 'Ed?' fluistert ze, terwijl ze haar hand over zijn lijf laat dwalen. Hij ligt als verstijfd naast haar. Hij blijft op zijn rug liggen en pakt haar hand.

'Miek, ik ...' Opeens draait hij zich naar haar toe en slaat zijn armen heel stijf om haar heen. Hij streelt haar en kust haar en even plots laat hij haar weer los.

Zijn stem klink schor wanneer hij zegt: 'Ik ben moe, Miek, laten we gaan slapen.'

Mieke ligt lamgeslagen naast hem. Tranen lopen stil op het kussen. Wat moet ze nu doen? Wat moet ze hiermee? Een hele poos ligt ze stil naast hem. Ze hoort aan zijn ademhaling dat hij ook niet slaapt. Eindelijk draait ze zich naar hem toe; ze leunt op een elleboog 'Ed? Waarom praat je er niet over? Wil je me niet of lukt het niet? Laten we er alsjeblieft over praten. Ed, ik houd toch van je! Zeg nou toch wat er is. Vertrouw me toch. Zo gaat het toch niet goed? Toe, Ed ...'

Ze slaat haar arm om hem heen. Streelt zijn gezicht.

Hij zwijgt. Maar dan voelt ze de tranen die uit zijn ogen druppen.

'Ed?'

Hij reageert niet.

Haar pijn en wanhoop zijn te groot voor tranen.

Doodstil ligt ze nog heel lang met brandende ogen in het donker te staren.

'God? Waar bent U?'

De volgende ochtend wordt ze wakker met bonkende hoofdpijn. Ze blijft stil liggen met haar ogen dicht. Ze wil niet meer, ze kan het niet meer.

Ed slaapt nog. Dan gaat ze zachtjes uit bed en zoekt in haar toilettas naar de hoofdpijnpillen die de dokter heeft meegegeven. Ze neemt er twee in en gaat weer liggen. Ed slaapt nog steeds. Ze kijkt naar zijn gezicht. Zelfs in zijn slaap ziet hij er bezorgd en moe uit. Ze gaat weer liggen. Duizend gedachten tollen door haar pijnlijke hoofd. Ze is boos en bang en wanhopig. Ze valt toch weer in slaap.

Wanneer ze weer wakker wordt, loopt Ed door de kamer. Hij is al aangekleed en komt naar het bed met een kopje thee in z'n hand.

'Goed hè? Beneden voor je gehaald. Kun je rustig een beetje wakker worden. Ik zag het doosje met pillen bij de wastafel, dus ik dacht, je hebt vast hoofdpijn. Dan is een kopje thee op bed wel lekker. Beschuit kon ik niet krijgen. Hier, drink maar lekker op.'

Mieke komt omhoog. De hoofdpijn is bijna weg. Ze kijkt naar Ed. Heeft ze dan gedroomd en was gisteravond niet zoals het was? Of speelt hij toneel?

Hij komt op de rand van het bed zitten. Zwijgend pakt ze het kopje en drinkt haar thee.

'Miek, over gisteravond ... Weet je, ik ben te gespannen. Juist omdat we al een hele tijd niet meer ... dan ben ik bang dat het niet lukt en daardoor raak ik gespannen en dan lukt het juist helemaal niet meer, ik bedoel ... dan ben ik bang dat het niet zal lukken ...'

Mieke is rechtop gaan zitten. Eindelijk! Flitst het door haar heen. Eindelijk, een opening!

'Maar waarom ben je dan zo gespannen, waarom is het dan zo'n tijd geleden en waarom zou het niet lukken? Waarom ben je daar bang voor?

Vroeger ... ik bedoel tot voor een jaar, dan dacht je daar toch nooit over? Dan, nou ja, dan wilde en kon je elke dag wel, ik moest je eerder afremmen dan aanmoedigen. Wat is er dan veranderd? Ligt het aan mij? Komt het door de geboorte van Ruben of vind je mij gewoon niet meer aantrekkelijk? Doe ik iets verkeerd, of is er toch iemand anders? We kunnen er toch over praten Ed, alsjeblieft! We kunnen hier samen toch uit komen?'

'Nee, het ligt niet aan jou. Je weet, dat ik hartstikke veel van je houd! Het is ... het ligt aan mij. Maar het komt echt wel weer goed. Ik wil het, het moet!'

'Waarom ga je dan niet naar de dokter. Als het iets lichamelijks is, kun je daar wellicht toch iets voor krijgen?'

'Zo simpel is het niet, ik ... ik weet het niet, Mick, ik moet het zelf overwinnen, ik ... ik kan het niet onder woorden brengen. En dat hoeft ook niet. Ik zal het zelf overwinnen. Dat moet! Heb maar een beetje geduld met me. Ik houd van je, en van Ruben, ik wil jullie niet kwijt.'

'Maar dat hoeft toch ook helemaal niet, Ed. Waar heb je het over? We houden toch van elkaar? Maar je moet me wel laten delen in je problemen. Nu praat je eindelijk, en dan komen we er echt wel samen uit. Ik heb alle geduld dat je van me vraagt, als je me maar niet buitensluit, me niet negeert, want daar word ik gek van! En ga dan toch eens met De Wit praten zodra we weer thuis zijn. Misschien kan hij je toch helpen.'

'Hij kan me niet helpen.'

Mieke schrikt van de wanhopige toon waarop dat gezegd wordt, en van de blik in zijn ogen.

Maar dan verandert zijn gezicht alweer. Hij pakt het kopje uit haar handen en glimlacht.

'Kom, ouwe luilak, uit bed! Het strand wacht.'

Wanneer ze even later onder de douche staat, piekert ze daarover door. Hoe kan hij het ene moment er zo wanhopig en bezorgd uitzien en het volgende doen alsof er niks aan de hand is en vrolijk praten over gewone dingen. Ze is dolblij dat er eindelijk een opening lijkt te zijn, maar tegelijkertijd voelt ze dat die opening maar een heel erg klein gaatje is.

De volgende dagen gaat het redelijk goed. Overdag is Ed ontspannen, en lijkt het soms weer een beetje op vroeger. Maar 's avonds wanneer ze op hun kamer zijn, wordt hij weer stil en zit op het balkon tot Mieke allang slaapt. Ze heeft nog een keer geprobeerd te praten over het voor hem blijkbaar zo moeilijke onderwerp, maar hij weigerde erop in te gaan. 'Heb nou maar even geduld, het komt wel weer goed.'

Daar moest ze het mee doen, en ze heeft de energie niet meer om er opnieuw over te beginnen. Ze klampt zich vast aan de dagen die zo bedrieglijk gewoon lijken. Maar ze weet dat het niet gewoon is en dat er straks thuis toch iets zal moeten gebeuren.

Iedere dag belt ze naar haar ouders. Met Ruben gaat het allemaal prima, en dat stelt haar steeds weer gerust, maar toch mist ze hem vreselijk.

'Hoe gaat het met jullie samen?' heeft haar moeder een keer gevraagd.

'O, dat gaat wel hoor.' Ze hoorde zelf hoe lauw dat klonk, maar ze kon het niet opbrengen er verder op in te gaan. Trouwens, Ed was in de kamer toen ze belde. En hij vindt toch al dat ze te veel tegen mam heeft gezegd over de situatie tussen hen.

Het hotel is goed verzorgd, niet te groot en heel gezellig. Er zijn nog twee stellen van ongeveer hun leeftijd waar ze af en toe leuk contact mee hebben. De voorlaatste avond wordt er bij het hotel een Griekse avond gegeven, en Mieke en Ed hebben met de anderen afgesproken daar samen naar toe te gaan. Het wordt een avond die Mieke nooit zal vergeten.

20

IN DE TUIN VAN HET HOTEL STAAN OVERAL TAFELTJES MET STOELEN EROM-heen. Er is een groot buffet langs het zwembad opgesteld. Er wordt muziek gedraaid, en later op de avond zal er een Griekse dansgroep optreden. Ed, Mieke en hun nieuwe kennissen hebben een gezellige tafel, vanwaar ze een goed overzicht hebben over de tuin. Er gaat een ober rond om eerst een gratis glas ouzo te schenken, maar de dames hebben liever een glaasje wijn. Mieke kijkt naar de jonge ober die druk is met z'n fles Ouzo. Wanneer hij wegloopt bij hun tafel, valt haar opeens een gelij-kenis op met een jongen uit hun vorige vakantie. Ze stoot Ed aan.

'Hé, moet je kijken, die knul lijkt op die Dario, je weet wel, die jongen van de bar uit het hotel vorig jaar op Mallorca.'

'Hoe kom je daar nou bij? Hij lijkt er totaal niet op.'

'Nou, ik vind van wel, beetje zelfde type, ook zo donker en de manier waarop hij loopt of zo.'

'Sorry hoor, maar ik zie geen enkele gelijkenis. Bijna alle Spanjaarden en Grieken zijn donker, dus dan lijken ze volgens jou allemaal op elkaar.' Eds stem klinkt geïrriteerd.

Mieke kijkt hem verbaasd aan en zegt niks meer. Ze zitten tenslotte met anderen, en het gaat ook nergens over.

Maar Gerben, die naast haar zit en hun gesprek heeft gevolgd, zegt: 'Misschien was die Dario ook homo, deze jongen duidelijk ook, zie je vaak hier met die mooie donkere barmannen, dus misschien zie je daar-in de gelijkenis.'

'Nou, daar heb ik niet zo'n kijk op hoor, maar ik ...' Verder komt ze niet, haar stem sterft weg want met een klap valt Eds stoel achterover, zo wild staat hij op.

'Ik zal wijn voor jullie halen.'

Mieke kijkt verschrikt naar Ed. Zijn stem klinkt raar en zijn gezicht is wit weggetrokken.

De anderen praten alweer gewoon verder, maar Mieke zit stil op haar stoel. In haar hoofd zijn honderden bellen aan het rinkelen.

Ze kijkt Ed na, die naar de bar loopt om wijn te halen. Ze kijkt hoe hij staat te praten met de bewuste ober, ze ziet hoe die naar Ed kijkt en even zijn hand op zijn schouder legt.

'Even naar het toilet ...' mompelt ze.

Even later is ze op hun kamer en laat zich op haar knieën voor het bed vallen.

'Nee, oh God, nee, dit is niet waar, dit kan niet, dit mag niet.'

Ze kreunt. Ze wil schreeuwen, het uitschreeuwen, maar er komt geen geluid uit haar mond.

Later weet ze niet hoe lang ze zo gelegen heeft.

Ze staat weer op, loopt naar de spiegel en kijkt naar haar eigen gezicht. Wezenloos kijken haar ogen haar aan.

'Nee,' zeg ze hardop. 'Nee, dit is niet waar! Ik lijk wel gek. Dit is niet waar.'

Langzaam loopt ze de kamer uit. Halverwege de gang komt ze Ed tegen. 'Waar was je toch? We hebben beneden bij alle toiletten lopen zoeken. Wat heb je zo lang gedaan?'

'Ik voel me niet zo goed.'

Het was nog waar ook. Ze voelde zich niet zo goed. Als in trance loopt ze met hem mee naar de tuin. En ook als in trance drinkt ze wijn, veel wijn, en eet van de barbecue. Ze danst met Ed en de rest mee met de Griekse dansers.

Ze heeft maar één gedachte: 'Het is niet waar, het is gewoon echt niet waar'.

En door dat alles heen kijkt ze naar hem en ziet scherper dan ooit. Ze ziet hoe hij praat en lacht, ze ziet hoe hij zich beweegt en ze hoort steeds maar weer de woorden van Gerben: 'Nou, misschien was die Dario *ook* homo?'

Ze heeft te veel wijn op. Wanneer ze veel later in bed ligt en haar ogen dicht doet, is het alsof de hele kamer beweegt. Ze ligt heel stil en valt dan toch snel in slaap. Maar een paar uur later wordt ze wakker. Haar hoofd doet pijn. Zacht gaat ze uit bed en neemt een paracetamol en een glas water. In de badkamer staart ze naar haar spiegelbeeld. Maar ze ziet niet haar eigen gezicht; ze ziet het gezicht van Dario en dan weer verandert het in Eds gezicht, en in haar hoofd dreunt nog steeds door: 'Hij is ook een homo ...'

De rest van de nacht ligt ze op haar rug op bed en staart in het donker. Het is alsof haar hele denken verstard is. Ze kan niet huilen, ze kan niet bidden.

Ze denkt steeds maar hetzelfde: 'Het is niet waar, God, het is niet waar!' Maar nog steeds daartussendoor hoort ze Gerbens stem, steeds weer: '... ook een homo.'

Allerlei herinneringen schieten door haar hoofd, zomaar als flitsen, maar ze zijn allemaal stukjes van de grote puzzel, die eerst niet te ontwarren leek, maar nu zo vreselijk duidelijk wordt.

De verbaasde blijdschap van Eds ouders, toen hij haar voorstelde als zijn vriendinnetje, de woorden van pa Smit bij de wieg van de pasgeboren Ruben; alles komt opeens in een ander licht te staan. Eds boosheid over de pop voor Ruben, ja zelfs zijn overdreven voorkeur voor een dochter.

De verbazing van zijn collega's dat hij een vrouw bleek te hebben, ja zelfs de woorden van De Wit lijken een andere betekenis te hebben. Had dan iedereen in de gaten of vermoedde iedereen behalve zijzelf dan wat er aan de hand is met Ed? Of trekt zijzelf nu alles uit zijn verband, beeldt ze zich van alles in?

'Het is niet waar, God, laat het niet waar zijn ...'

Het is al licht wanneer ze toch nog in slaap valt.

Wanneer ze weer wakker wordt, schijnt de zon volop naar binnen. Ed komt fris gedoucht uit de badkamer. Hij ziet er vrolijk en uitgerust uit.

'Hé, zou je ook niet eens wakker worden, mevrouw?'

Dit is Ed, haar Ed zoals hij vroeger was.

Het is niet waar, ze wil het niet, het mág niet.

En met een nieuwe, verbeten trek om haar mond, beslist ze op dat moment, dat het niet waar is.

Ze rekt zich uit. 'Nou zeg, ik heb lang geslapen; het was ook zo laat gisteravond. Ik ga gauw even douchen, dan kunnen we over tien minuutjes gaan ontbijten.'

Gerbens stem is weg; ze hoort nog maar één dreun in haar hoofd: 'Niet waar.'

En dat zal haar waarheid moeten worden. Het *is* haar waarheid.

De laatste dag gaat snel voorbij. Ze zitten nog een poos op het strand, zwemmen nog even in het zwembad en pakken aan het eind van de middag de koffers weer in. Om vijf uur eten ze nog wat in het hotel, en om kwart over zes komt de bus die ze naar het vliegveld zal brengen.

Mieke is de hele dag erg gespannen. Ze let voortdurend op Ed: wat hij zegt, hoe hij naar mensen kijkt en naar wie hij kijkt. Wanneer ze eindelijk in de bus zitten, is ze doodmoe.

Ed is de hele dag lief en gezellig tegen haar geweest, en ze begint zich steeds meer af te vragen of de afgelopen avond en nacht niet een foute droom geweest zijn.

'Nog een paar uurtjes, dan zien we ons kleine kereltje weer.' Ed knijpt in haar hand.

'Ik heb hem toch best wel gemist, en jij helemaal, hè?'

Ruben! Ja, wat zal het heerlijk zijn die lieve kleine schat weer te kunnen knuffelen!

De hele verdere thuisreis concentreert ze zich op die gedachte: Ruben weer zien!

21

HET IS HEERLIJK WEER THUIS TE ZIJN. DE EERSTE DAGEN IS MIEKE ZO BLIJ Ruben weer bij zich te hebben dat ze daar helemaal in opgaat. Het was leuk er een week helemaal uit te zijn, maar nog veel fijner weer thuis te zijn.

'De volgende keer nemen we je mee, hoor! Volgend jaar zomer ben je anderhalf, en dan kun je best mee op vakantie. Ik wil je niet meer zo lang missen.'

Het is allemaal goed gegaan bij opa en oma. Die hebben er zelf ook erg van genoten.

'Jullie mogen gerust nog een weekje gaan, hoor!'

Maar Mieke vindt het best zo. Volgende keer wil ze hem niet meer achterlaten.

Wanneer ze een paar dagen thuis zijn, gaat Ed weer aan het werk. De vakantie heeft hem echt goedgedaan. Hij ziet er uitgerust uit en hij is in een goed humeur.

De tweede dag dat hij aan het werk is, staat 's ochtends om elf uur Miekes moeder onverwacht voor de deur.

'Gelukkig dat je thuis bent. Ik miste dat kleine ventje zo, dus ik dacht: ik ga gewoon even bij hem kijken. En jou wilde ik natuurlijk ook graag zien en jullie vakantieverhalen horen, want daar is eergisternacht niet veel van gekomen.'

'Gezellig, mam, kom gauw binnen.'

Wanneer ze even later aan de koffie zitten en Mieke wat over de vakantie heeft verteld, komt de onvermijdelijke vraag.

'Miek, hoe is het echt gegaan, die week, en hoe gaat het nu tussen Ed en jou?'

Natuurlijk wist ze dat die vraag zou komen en ze heeft erover nagedacht.

'Goed, mam, best wel goed eigenlijk. Ik denk toch dat Ed gewoon overwerkt was en heel hard aan een weekje rust toe was. We hebben gepraat in de vakantie, en het zal best nog wat tijd nodig hebben, maar het gaat al een stuk beter. Dus maak je geen zorgen meer; het komt allemaal weer goed.'

'Echt, Mieke, of wil je er liever niet over praten?'

'Echt, mam, maak je maar geen zorgen; het gaat echt al stukken beter.'

Mieke loopt naar de gang en komt terug.

'Ik dacht dat ik Ruben hoorde, maar het is toch nog stil. Wat eigenwijs, dat hij precies zijn eerste tandje kreeg toen wij weg waren. Vond je zeker wel erg leuk hè, oma?'

Ze wil er verder niet over praten. En gelukkig komt haar moeder er niet meer op terug.

Ze praten over de vakantie, en mevrouw Terlinden vertelt kleine dingetjes die ze met Ruben hebben meegemaakt.

Wanneer ze op het punt staat naar huis te gaan, vraagt ze: 'Hoe is het met je hoofdpijn? Heb je al een afspraak bij je huisarts gemaakt?'

'Dat gaat eigenlijk ook prima. De vakantie heeft ons allebei goedgedaan. Ik zou ook niet weten waarom ik nog naar de dokter zou moeten gaan. Met Ed gaat het beter, met mij gaat het goed, dus wat willen we nog meer? Volgende week begint de school weer, en dan ga ik lekker aan het werk. Heb ik ook weer echt zin in.'

'Toch vind ik je er niet echt goed uitzien. Maar dat zal wel weer komen. En je weet het hè, als er iets is, je kunt altijd bij me terecht.'

Mieke geeft haar moeder een dikke knuffel.

'Ik weet het, mam. Maak je geen zorgen; dat is echt niet nodig! Groetjes aan pappa en we bellen gauw weer.'

Wanneer haar moeder is weggereden, loopt ze terug naar de kamer en laat zich op de bank vallen.

Moeilijk was dat! Mam kent haar zo goed, en de verleiding was zo groot om ondanks haar voornemen om sterk te zijn toch al haar twijfels, vragen en vermoedens uit te spreken.

Maar het is goed zo.

Het is niet waar.

Wanneer de school weer begint, stort Mieke zich er helemaal in. Ze heeft een vaste oppas voor Ruben gevonden. Mevrouw Broeke, een al wat oudere vrouw die ze kent uit de kerk, en die gehoord heeft dat Mieke en Ed eigenlijk nog steeds op zoek waren naar een goede oppas. De dagen dat Ed ook werkt, komt ze bij hen thuis, zodat Ruben gewoon in zijn eigen omgeving kan blijven. Is Ed vrij of heeft hij een avonddienst, dan komt ze niet of zonodig halverwege de middag. Heel flexibel dus. Mieke vindt haar een lot uit de loterij. Nu dit goed geregeld is, gaat ze ook gemakkelijker de deur uit.

Ze weet dat Ruben in goede handen is en ze hoeft zich niet bezwaard te voelen als het 's middags eens wat later wordt.

De collega's op school proberen haar in het begin nog wat af te remmen om niet gelijk al te hard van stapel te lopen en rustig aan terug te komen voor de klas. Maar ze weet iedereen ervan te overtuigen dat ze echt voor honderd procent terug is.

Op de dagen dat ze vrij is, gaat ze er veel op uit met Ruben in de wagen, en wanneer hij slaapt, geeft ze het huis een grote schoonmaakbeurt.

's Avonds wanneer Ed thuis is, gaat ze vaak nog een stuk hardlopen, en ze heeft zich ook aangemeld als lid bij de volleybalclub.

De eerste weken dat ze zo bezig is, heeft ze het gevoel op haar tenen te lopen, maar langzamerhand gaat het een goed gevoel geven. En in elk geval bereikt ze ermee wat ze wilde: overdag zo druk zijn dat ze 's avonds zo moe is dat ze weinig tijd heeft om te denken.

Elke avond gaat ze rond half elf naar bed. Ze vraagt nooit meer aan Ed of hij ook al komt, en ze slaapt altijd al voordat hij boven komt.

Ook Ed lijkt een goed ritme gevonden te hebben na de vakantie. In het begin was het alsof hij niet helemaal raad wist met de nieuwe opstelling van Mieke, maar al gauw lijkt het ook op hem een gunstige uitwerking te hebben.

Nu Mieke blijkbaar niet meer van hem verwacht dat hij over dingen praat waar hij eigenlijk niet over wil praten, komt ook hij tot rust. Hij wordt weer vrolijker, ziet er beter uit, en zo op het oog lijkt alles weer als twee jaar geleden.

Maar Mieke weet wel beter. Maar ze kan niet anders. Ze is bang. Zo bang om hem te verliezen.

'Hij heeft gewoon tijd nodig,' zegt ze wel tien keer op een dag tegen zichzelf. 'Hij heeft tijd nodig; dan komt het vanzelf weer goed.' En die tijd wil ze hem ook geven.

Ze heeft het gevoel dat ze in een soort vacuüm leeft deze tijd. Ze zoekt geen contact met haar familie. De keren dat ze haar moeder spreekt, houdt ze de gesprekken bewust oppervlakkig. Ook ontmoetingen met vriendinnen zijn vluchtig, en met Emma houdt ze zelfs alle contact af. Alsof ze voelt dat Emma het dichtst bij de waarheid is.

Eind september wordt er op een avond gebeld. Mieke doet open en ziet Erik de Jager voor de deur staan.
'Hoi, Erik, kom binnen! Tijd geleden zeg.'
'Is Ed thuis, want daar kom ik eigenlijk voor.'
'Ja, je treft het, hij is thuis. Ik wilde net koffie gaan zetten, dus kom erin.'
Pas wanneer ze achter Erik de kamer binnenloopt, vraagt ze zich af of Ed wel zo blij zal zijn met dit bezoek. Want nu schiet haar weer de laatste keer te binnen dat Erik hier aan de deur kwam en door Ed werd afgepoeierd.
Als Ed al onaangenaam verrast is, laat hij dat in elk geval niet merken.
'Hé, Erik, tijd niet gezien. Ga zitten, man.'
Mieke gaat naar de keuken om koffie te zetten en wanneer ze even later de kamer weer binnenkomt, merkt ze tot haar opluchting dat de mannen ontspannen zitten te praten.
Wanneer Erik zijn koffie op heeft, valt er opeens een stilte.
'Tja, Ed, eigenlijk kom ik wel met een bepaalde reden hier vanavond.'
Erik leunt wat naar voren terwijl hij Ed aankijkt.
'Ik kom eigenlijk vragen of je er niet nog eens rustig over wil nadenken om toch weer het jeugdwerk op te pakken. We missen je.'
Er komt een afwerende trek op Eds gezicht.
'Ik dacht dat ik daar duidelijk in was geweest. Voorlopig zie ik dat echt niet zitten.'
'Maar, als ik vragen mag, wat is toch de reden dat je er zo opeens mee bent gestopt? Is het niet iets waarover gepraat kan worden? Iets wat jij misschien anders had gewild op de clubs of bij mij persoonlijk? Ik zou er echt graag een oplossing voor zoeken als dat kan.'
Ed zegt niks, maar zijn gezicht drukt steeds meer afweer uit.
Mieke ziet dat Erik zich steeds ongemakkelijker gaat voelen. Toch

gaat hij door: 'Ed, ik wil me niet met zaken bemoeien die me niet aangaan, en zo is dit gesprek ook niet bedoeld, maar ik mis je de laatste tijd ook in de kerk. Kan ik jullie ergens mee helpen of zo? We kennen elkaar al zo lang ... ik bedoel, als er iets is, kun je er misschien met me over praten ...'

Ed is opgestaan. Hij ziet bleek, en Mieke ziet de frons weer tussen zijn wenkbrauwen. Hij loopt naar het raam en blijft daar staan met zijn rug naar Erik en Mieke. Het blijft stil in de kamer. Maar wanneer hij zich weer omdraait, ziet hij er opeens weer ontspannen uit.

'Weet je wat het is, Erik, ik heb het gewoon een tijd te druk gehad op mijn werk. Ik zat tegen een burn-out aan. Vorige maand zijn we er een weekje tussenuit geweest, en dat heeft me echt goed gedaan. Vanaf dat moment gaat het ook steeds beter. Maar ik heb gewoon nog even tijd nodig, en daarom wil ik dit winterseizoen echt nog even rustig aan doen. En dus naast mijn werk even helemaal geen andere verplichtingen. En de kerk, ja, daar heb je wel gelijk in, maar als je zo moe bent, is het erg verleidelijk zondags te blijven liggen. Maar dat gaan we ook wel weer veranderen.'

Mieke ziet opluchting op Eriks gezicht. Zelf is ze alleen maar verbaasd. Ed weet het zo overtuigend te brengen. Zelfs voor haar lijkt het even allemaal simpel en logisch.

Wanneer Erik een uurtje later vertrekt, zegt hij: 'Nou, Ed, laten we zo afspreken, voordat volgend jaar het nieuwe seizoen weer begint, sta ik weer bij je op de stoep. Ik hoop dat het dan weer helemaal goed met je gaat en dat we je weer kunnen inschakelen.'

'Afgesproken,' zegt Ed. 'Ik hoop dat het dan allemaal weer gaat lukken.'

Mieke kijkt naar zijn gezicht. Meent hij dat nou echt? Is het echt iets wat voorbijgaat? Gelooft hij dat zelf? Is het dan misschien echt zo?

'Hoe is het met Annemarie tegenwoordig?' vraagt ze wanneer Erik al bij de deur is. 'Ik heb haar eigenlijk al een hele poos niet gesproken. Als jullie zin hebben, moeten jullie samen eens koffie komen drinken. Misschien een keer 's zondags uit de de kerk of zo?'

Erik twijfelt even. Zal hij vertellen waar ze mee rondtobt? Ach, waarschijnlijk hebben Ed en Mieke wel genoeg aan hun eigen probleem. Het valt toch vast niet mee, als je tegen overspannen zijn aan zit. Want dat Ed nog niet echt lekker in zijn vel zit, heeft hij wel gemerkt tijdens hun gesprek.

'Ja, misschien doen we dat wel eens. Nou, mensen, het beste en tot ziens maar weer.'

Snel loopt hij weg, voordat Mieke misschien meteen een afspraak wil maken.

'Nou,' zegt Mieke, wanneer ze de deur achter hem heeft dichtgedaan. 'Dat is duidelijk! Blijkbaar staan ze niet te springen om langs te komen. Nou, graag of niet hoor.'

Wanneer ze later in bed ligt, komt de slaap toch niet zo snel als ze zou willen. Ze ligt na te denken over Eds woorden. 'Ik hoop dat het dan weer gaat lukken.' Die woorden hebben voor haar een dubbele betekenis. Dat het weer gaat lukken met het jeugdwerk, ja, maar vooral dat het weer gaat lukken met hun huwelijksleven. Is het dan alleen de seks, die ze mist?

Is dat het enige waarin Ed veranderd is? Waarin hun relatie veranderd is? Ach nee, dat is eigenlijk niet eens het belangrijkste. Ze kan hem niet meer bereiken, dat is het. Ze leven als twee oppervlakkige kennissen in hetzelfde huis. Ze hebben geen meningsverschillen, maar ook geen echte gesprekken. Kan ze dat doorbreken? Wil ze dat wel doorbreken? Durft ze het te doorbreken?

'God, wat moet ik doen? Zo hebt U het huwelijk toch niet bedoeld? Wat moet ik toch doen? Hoe moet dit toch verder?'

Bidden! Heeft dat eigenlijk wel enige zin? Als het waar is, als dat waar ze zo bang voor is, echt waar is, heeft het toch geen enkele zin te bidden? Dan is hun huwelijk toch gedoemd te mislukken, dan is het al mislukt, dan is het nooit een echt huwelijk geweest. Dan is het één grote leugen. Maar waarom is Ed dan met haar getrouwd? Maar zo wil ze niet denken; ze wil helemaal niet denken.

Er is maar één waarheid: het is niet waar.

In de weken die volgen, voelt Mieke de spanning toenemen. De spanning in haarzelf, maar ook de spanning bij Ed. Hij wordt steeds stiller, gaat 's avonds weer vaak de deur uit zonder te zeggen waar hij naartoe gaat. Wanneer hij thuiskomt, is het heel laat, en meestal slaapt ze al. Maar soms ligt ze nog wakker en staart ze in het donker, zonder gedachten. Te moe om te slapen. Wanneer hij dan zachtjes in het donker naast haar gaat liggen, ruikt ze de lucht van alcohol die om hem heen hangt. Maar ze houdt zich slapend.

Ze ziet hoe Ed magerder wordt, donkere kringen onder zijn ogen. En in de spiegel ziet ze haar eigen gezicht: bleek en ook met donkere schaduwen om haar ogen. Het gaat haar steeds meer moeite kosten haar werk op school te doen. Met hardlopen is ze gestopt, en ook naar volleybal gaat ze niet meer.

Wanneer haar moeder belt, praat ze opgewekt. Probeert haar moeder te overtuigen dat het prima gaat, maar dat ze het vreselijk druk heeft met van alles. Dus weinig tijd heeft om iets af te spreken.

Ze zijn een paar zondagen samen naar de kerk gegaan. Ruben naar de crèche.

De woorden van de dominee glijden langs haar heen. Ze hoort ze niet eens.

Maar dan op een zondagmorgen blijft Ed weer op bed liggen.

'Kom je er niet uit? Het is bijna half tien, hoor.'

'Nu even niet. Ga jij maar, Miek. Ik geloof niet dat God op mij zit te wachten.'

'Waarom zeg je dat nou? Waar slaat dat nou op?'

Ze gaat op de rand van het bed zitten.

'Als je ergens mee zit, praat er dan toch over! En als je niet met mij wilt praten, zoek dan iemand anders. Waarom ga je niet eens praten met de dominee? Je bent gestopt met je clubwerk, je wil niet naar de kerk. Als het dan daar ligt, praat er dan toch over.'

Ed draait zich om.

'Ach welnee, het ligt gewoon aan mezelf. Ik heb even een time out nodig. Laat me nou maar! Ga jij maar, en trek je niks van mij aan. Volgende week ga ik misschien wel weer mee.'

Ze loopt weg en trekt de deur achter zich dicht.
Ze gaat alleen met Ruben naar de kerk.

'Ja, Ed moet werken vandaag.'
Ze weet dat ze zo niet door kan gaan. Maar dat is dan ook het enige wat ze nog weet. Nou ja, behalve dan dat ene natuurlijk: het is niet waar.
Wanneer ze Ruben gaat ophalen bij de crèche, loopt ze Erik de Jager tegen het lijf. Hij loopt juist de jeugdruimte in.
'Hé, Mieke! Ed aan het werk zeker? Zo, even wat spulletjes ophalen, kan ik me vast een beetje gaan voorbereiden voor de club vrijdagavond. Groetjes, hè?' En weg is hij weer.
Wanneer Mieke even later naar buiten komt met Ruben, ziet ze Annemarie staan. Blijkbaar staat ze op Erik te wachten.
Mieke roept een groet en wil naar haar toe lopen. Maar op hetzelfde moment draait Annemarie zich om.
'Tot ziens,' hoort Mieke nog, en ze ziet haar snel op de fiets stappen en wegrijden.
Ze is nog maar een klein stukje doorgelopen of Erik haalt haar met de fiets in.
'Heb jij Annemarie gezien? Ze zou op me wachten.'
'Ze is net weggereden.'
Even lijkt het erop dat Erik nog wat zeggen wil, maar dan stapt hij op en fietst ook weg.
Mieke haalt haar schouders op. 'Vreemd stel!'
Terwijl ze naar huis loopt, denkt ze er nog over na. Annemarie leek toch altijd best een leuke meid, maar tegenwoordig ziet ze haar nooit meer. Het is alsof ze haar ontwijkt. Ze ziet er ook niet echt goed uit. Zouden Erik en zij ook problemen hebben? Of heeft Annemarie iets tegen Ed en haar, of misschien alleen tegen haar?

's Avonds in bed ligt ze er weer over te denken. Erik? Het was vanochtend alsof hij haar ook al een beetje ontweek. Of hij iets wilde zeggen of vragen en zich bedacht.
Heeft dat iets te maken met het stoppen van Ed met de club? Hoe lan-

ger ze erover ligt te denken, des te meer verbanden denkt ze te ontdekken.

Is er iets tussen Annemarie en Ed? Zou dat het zijn? Is dat wat ze in de vakantie dacht te zien, niet waar? Is er toch een andere vrouw? Is het Annemarie?

Mieke draait zich van de ene zij op de andere. Hoe later het wordt, des te zekerder wordt ze.

Dat is het, dat moet het zijn! Al na de geboorte van Ruben kwam er eerst helemaal geen, en ten slotte zo'n rare reactie van Erik en Annemarie. Een bosje bloemen en een of ander vaag kaartje. Toen Eds beslissing de samenwerking met Erik te beëindigen. Natuurlijk, hij durfde Erik niet meer onder ogen te komen! En 's avonds, als hij zo vaak weggaat, is hij dan bij haar? Maar hoe kan dat? Dan zou Erik toch ook iets moeten merken.

Ach nee, het kan niet, niet Annemarie! Maar toch ... waarom ontwijkt Annemarie haar? Of weet ze misschien iets wat ze haar niet durft te vertellen, loopt ze daarom met een bochtje om haar heen?

Ja, dat moet het zijn! Maar wat weet ze dan dat Mieke zelf niet weet? Zou het dan toch ...

Het is niet waar.

Op een avond, wanneer Ed net weer na wat vaag gemompel de deur uit is gelopen, wordt er gebeld. Voor de deur staat een man. Hij komt Mieke wel bekend voor, maar ze kan zo gauw niet thuisbrengen wie het is. Vragend kijkt ze hem aan. Hij steekt zijn hand uit. 'Harm Dijksman, ik ben jullie nieuwe wijkpredikant. Komt het even gelegen?'

'Ach ja, natuurlijk, nu zie ik het! Neem me niet kwalijk. Komt u binnen.'

'Wat zullen we nu hebben?' schiet het door haar hoofd. 'Wat komt hij nou hier doen zonder afspraak? Weet hij iets? Is er gepraat? Maar door wie?'

Dominee Dijksman is achter haar aan gelopen naar de kamer.

'Gaat u zitten.'

Vlug schopt Mieke een paar blokken aan de kant.

'Uw man heet Ed, klopt dat? Is hij er niet?'

Ze is zelf op het puntje van een stoel gaan zitten.

'Nee, hij is niet thuis. U komt voor hem? Iets speciaals? Zal ik koffie zetten?'

'Nee nee, doe geen moeite! Nee, ik kom zomaar even langs. Ik zag de naam van uw man, Ed, op de lijst staan van jeugdwerkleiders. Ik ben natuurlijk pas een paar maanden hier en probeer me allerlei vormen van gemeentewerk plus de daarbij horende gezichten een beetje eigen te maken. Nu moest ik vanavond hier vlak in de buurt iets brengen, dus ik dacht: ik loop meteen even bij de familie Smit langs. Is er niemand thuis, dan heb ik pech gehad. Anders kijk ik even om de hoek en maak even een praatje. Maar ik tref het dus niet! Hoewel, ik maak nu meteen even kennis met u. Of mag ik jij zeggen?'

'Ja natuurlijk, graag! Zal ik dan toch maar even koffie zetten?'

Ze is al opgestaan en loopt snel naar de keuken. Terwijl de koffie doorloopt, leunt ze op het aanrecht.

Pfff! Wat moet ze hiermee? Wat moet ze vertellen? Wat wil ze vertellen? Als ze zich maar niet vast praat! Als hij maar geen lastige vragen stelt! Was Ed maar thuis, dan konden ze over het jeugdwerk praten. Of nee, natuurlijk niet!

Dat zou Ed moeten vertellen dat hij gestopt is, en dan wilde hij misschien wel de reden weten. O, waarom is ze nu toch koffie gaan zetten! Ze had hem aan de deur moeten afwimpelen.

Even later zit ze toch weer tegenover hem.

Het valt mee. De predikant vraagt naar hun gezinnetje, haar werk en Eds werk.

'De verpleging. Mooi werk is dat. Nu begrijp ik ook waarom uw man niet thuis is. Hij heeft natuurlijk ook zijn avonddiensten.'

Mieke knikt maar wat.

Dominee Dijksman vertelt nog wat over zijn eigen gezin met drie opgroeiende kinderen, waarvan de oudste twee al de deur uit zijn. Over zijn vrouw, die toch altijd even moet wennen aan een nieuwe gemeente. Na een halfuurtje stapt hij op.

'Mieke, ik vond het erg leuk even kennis gemaakt te hebben. Bedankt voor je koffie, en doe de groeten aan je man. Ik zal binnenkort wel een keer bellen voor een afspraak met hem. Ik begrijp dat hij 's avonds vaak weg is.'

Met een zucht doet Mieke de deur achter hem dicht. Aardige man, dat zeker. Maar voortdurend voelde ze de spanning tijdens het gesprek.

22

Op een donderdagavond, begin oktober, gaat de telefoon. Ed heeft weer iets gemompeld over 'even bij iemand langs' en is al een paar uur weg. Mieke kijkt op haar horloge. Kwart voor elf al. Wie belt er nog zo laat?

'Mieke Smit.'

'Mieke, je spreekt met Emma. Bel ik niet te laat? Hoe is het bij jullie?'

'Nee hoor, ik ben nog wakker. Zo vroeg gaan we meestal niet naar bed. Alles goed bij jullie?'

'Ja hoor. Druk! Dat wel, maar ja, dat doen we onszelf aan. Maar hoe gaat het met jou en Ed? En met Ruben natuurlijk.'

'O, die wordt zo wijs. Echt grappig. We genieten echt van hem. Hij heeft al twee tandjes ook. En hoe is het met de meiden? Ook alles goed? Ook bijna herfstvakantie zeker? Of hebben jullie dit jaar de tweede week?'

'Ja, wij hebben hier laat herfstvakantie. Maar hoe gaat het met jouzelf, Mieke?'

'Ach ja, ook druk natuurlijk, hè. Ik heb de jongste kleuters, en dan zo tegen de herfstvakantie merk je echt dat ze moe beginnen te worden. Dan is het goed dat ze zo een weekje kunnen uitrusten. Maar verder is het een leuke groep die ik heb, er zitten echt schatjes bij. En met de oppas en Ruben gaat het ook heel goed. Daar hebben we het echt mee getroffen! Met Jan ook alles goed? We hebben elkaar een tijd niet gezien, hè, maar ja, we hebben het allemaal druk. Jullie ook natuurlijk. Misschien kunnen we straks rond de kerstdagen eens iets afspreken?'

'Ja, komen jullie eens deze kant op, als je zin hebt; dat is echt een tijd geleden! Hoe is het met Ed? Is hij thuis?'

'Nee, hij is er niet. Ook al zo druk, hè? Zijn jullie de laatste tijd nog bij pa en ma Smit geweest? Wij zijn er vorige week nog even langs geweest, maar ik vind ze allebei oud worden. Is dat jou ook opgevallen?'

'Mieke, nu weet ik nog steeds niet hoe het met jou en Ed gaat. Gaat het wel goed?'

Mieke slikt. Ze moet opeens huilen.

'Emma? Ik geloof dat ik Ruben hoor. Ik bel je gauw weer eens terug. Goed? Doe Jan en de meiden de groeten?'

Ze legt neer. Ze kan dit niet. Ze kan echt niet meer. Ze gaat bij de tafel zitten en legt haar hoofd op haar armen.

Hoelang kan ze dit nog volhouden? Hoelang? Tot ze gek is?

Even later gaat de telefoon opnieuw. Ze weet dat het Emma weer is.

'Ja?'

'Mieke, je hebt volgende week vakantie. Kom een paar dagen met Ruben naar ons toe. Ik denk dat dat goed voor je is.' Het blijft even stil.

'Miek, als je het niet doet, kom ik naar jullie toe. Zeg maar, wat je liever hebt.'

Hierin klinkt weer echt Emma. Autoritair. Maar toch zo hartelijk, weet Mieke.

'Ik kom graag naar je toe Emma. Ik moet wel.'

Emma vraagt niet wat ze bedoelt.

'Goed, ik bel je morgenavond even terug. Dan spreken we verder af. Regel het vast met Ed.'

Wanneer ze de telefoon heeft neergelegd, voelt Mieke zich opgelucht. Al weet ze niet precies waarom. Maar het is goed. Ze gaat naar Emma. Ze moet praten met Emma. Dat weet ze opeens heel zeker.

Wanneer ze even later in bed ligt, voelt ze dat ze zomaar zal kunnen slapen. Er gaat iets gebeuren. Er moet iets gebeuren. Hoe dan ook.

En dat is goed.

Ze weet niet hoelang ze heeft geslapen, wanneer ze wakker wordt van een geluid. Loopt de wekker af? Nee, het is de telefoon.

Ze schiet omhoog. De plaats naast haar in bed is nog leeg. De telefoon staat aan de andere kant van het bed, vlak naast Eds hoofdkussen. Terwijl ze hem oppakt en schor haar naam noemt, kijkt ze op de wekker: 01.18 geeft die aan.

'Mieke? Met moeder, kom alsjeblieft ... gauw ... pa ... Mieke? Komen jullie?'

Dan wordt de verbinding verbroken.

Mieke blijft een ogenblik verwezen staan. Ed. Waar is Ed? Wat is er gebeurd met zijn vader? Wat moet ze doen? Ernaartoe, ja, maar Ruben, kan ze die alleen thuis laten? En waar is Ed toch?

Terwijl ze de kleren die ze een paar uur geleden uit heeft getrokken, van de stoel grist en weer aantrekt, schieten er beelden door haar hoofd. Beelden van toen de bevalling begon en zij ook alleen in bed lag en om Ed riep. Toen was hij beneden, maar nu niet. Beneden in de kamer branden nog een paar schemerlampjes, die ze aanliet toen ze naar bed ging. Verder is het stil en donker.

Ze merkt dat ze trilt. Wat moet ze nou doen. Rustig zijn! Nadenken! Ze moet naar pa en maatje toe, en wel meteen. Oppas moet ze hebben, iemand die bij Ruben blijft.

Ze draait het nummer van de buren. De telefoon horen ze wellicht eerder dan de huisbel.

En dan gaat alles snel. Buurvrouw Marjan is na haar telefoontje binnen een minuut bij haar, een dekbed onder haar arm.

'Gaan jullie maar gauw,' zegt ze. 'Ik slaap wel verder op de bank. Of ben je alleen? Wat rot, dat Ed nu net aan het werk is. Heb je hem al gebeld?'

Mieke knikt maar wat en pakt de autosleutels.

Wanneer ze tien minuutjes later aankomt bij het huis van haar schoonouders, is alles in rep en roer.

De ambulance is net aangekomen en de broeders zijn druk bezig met pa Smit.

'Oh kind, gelukkig dat jullie er zijn.' Maatje zit op een stoel in de woonkamer met een spierwit gezicht.

'Wat is er gebeurd? Is het zijn hart?' vraagt Mieke.

'Ik weet het niet, oh Mieke, ik ben zo geschrokken. Ik werd wakker omdat pa heel rare, rochelende geluiden maakte en ik kon hem niet wakker krijgen ... O Mieke, ik ben zo bang.' De tranen lopen over haar wangen.

Mieke staat er verwezen bij. 'Ed', denkt ze, 'Ed, waar ben je?'

'Waar is Ed? Is hij aan het werk? Is hij al gebeld?' Opeens staat dokter De Wit in de kamer.

'Mevrouw Smit, uw man gaat nu naar het ziekenhuis. Wilt u meerijden in de ambulance of zal ik u brengen? Mieke, ga jij ook mee? Ik neem aan dat Ed ons in het ziekenhuis opwacht.'

Dokter De Wit! Mieke schrikt. Dat hij nu net dienst moet hebben! Wat moet ze zeggen? Maar De Wit let verder niet op haar.

'Mevrouw Smit? Trekt u een jas aan en stapt u maar bij mij in de auto. Mieke, rijd jij ook mee? Je kunt je auto hier beter laten staan.'

'Dokter, mijn man, wat denkt u?'

'Ik kan er niks van zeggen. Hij is in goede handen. Verder moeten we afwachten totdat we in het ziekenhuis meer weten.'

Ze lopen naar buiten. Mieke ziet nog hoe de deur van de ambulance dichtgaat.

Dokter De Wit helpt maatje in z'n auto.

'Mieke?'

Ze staat nog steeds bij de voordeur. Ed, ze moet waarschuwen. Maar hoe en waar? Natuurlijk, zijn mobiel!

'Mieke?' De Wits stem klinkt nu scherp. Hij komt teruglopen. 'Wat sta je nou te doen? We moeten gaan. Ik ben bang dat er haast bij is.'

'Ed. Ik weet niet waar Ed is. Ik moet hem bellen.'

'Daar is nu geen tijd meer voor. We moeten naar het ziekenhuis. Ik ben bang dat het niet goed is.'

Zwijgend stapt Mieke in, en snel rijdt de auto weg.

Wanneer ze bij het ziekenhuis komen, moeten ze eerst een poos wachten. Samen met haar schoonmoeder zit Mieke in een kleine kamer. Ze wil een telefoon zoeken om Ed te bellen, maar durft maatje niet alleen te laten.

'Emma,' schrikt maatje opeens. 'We moeten Emma bellen.'

'Vindt u het erg even alleen te blijven?' vraagt Mieke. 'Dan ga ik Emma en Jan bellen.'

Er komt net een verpleegster binnen met twee kopjes koffie. 'De dokter is nog bezig met uw man. Ik kan u nog niks zeggen.'

'Mijn zoon,' zegt maatje, 'mijn zoon werkt hier in het ziekenhuis. Is hij nog niet gewaarschuwd? Waar blijft hij toch?'

Voordat de verpleegster verder kan vragen, zegt Mieke: 'Nee, maatje, ik heb hem al gebeld; hij komt zo.' En dan tegen de verpleegster: 'Kan ik mijn schoonzus bellen?'

'Hier om de hoek op de balie staat een telefoon.

Dan blijf ik even bij u, mevrouw. Probeert u wat koffie te drinken. Of zal ik liever thee halen? Ik denk dat er zo wel een arts komt om u meer te vertellen over de situatie van uw man.'

Mieke draait eerst het nummer van Emma. In een paar woorden vertelt ze wat er gebeurd is, maar dat ze verder nog niks weet over de situatie van haar vader.

'Wacht nog even met hier naar toe te komen. We hopen snel wat te horen van de dokter. Dan kan ik je tenminste nog thuis bereiken.'

'Goed. Bel zo gauw je iets weet. Zijn jullie samen bij maatje?'

Mieke blijft even stil.

'Ik ben bij haar. Ik bel je zo snel mogelijk.'

Dan legt ze neer. Meteen pakt ze de telefoon weer en toetst het mobiele nummer van Ed in.

Maar voordat hij overgaat, gaat er een deur open en komt Ed binnen.

'Mieke! Waar is pa? Wat is er gebeurd? Hoe is het met hem?'

Ze kijkt naar hem. Zijn ogen zijn rood doorlopen. Zijn adem stinkt naar drank.

Opeens is ze woedend!

'Ga naar je moeder.' Ze loopt voor hem uit naar de wachtkamer.

Van de andere kant uit de gang komt een arts aan. Tegelijk zijn ze bij de deur. Achter hem aan gaan ze naar binnen. Maatje staat op. Het gaat moeizaam. 'Dokter?'

De arts loopt naar haar toe. 'Gaat u zitten, mevrouw.'

Dan kijkt hij naar Ed en Mieke. U bent de kinderen van mevrouw?'

Hij legt een hand op maatjes schouder.

'Mevrouw Smit, ik heb helaas slecht nieuws voor u. We hebben uw man en vader niet kunnen helpen. Het spijt me ...'

'Hij is ... nee, o nee ...'

De dokter knikt zwijgend.

'Ik condoleer u.' Hij drukt maatjes hand en daarna die van Ed en Mieke.

Mieke en Ed zijn ook gaan zitten. Verdoofd kijken ze de arts aan, die uitlegt dat pa thuis een attaque heeft gehad, en onderweg in de ambulance opnieuw.

Dan gaat de deur open en komt dokter De Wit binnen. Ook hij condoleert eerst mevrouw Smit en steekt dan zijn hand uit naar Ed.

Maar hij zegt niets. Scherp kijkt hij Ed aan. Dan draait hij zich naar Mieke en geeft ook haar een hand.

Mieke staat op. 'We moeten Emma bellen.'

Ze kijkt naar Ed.

'Ik zal het wel doen.' Ze loopt naar de gang, naar de telefoon.

Ze beeft. Maar ze beeft vooral van woede. Ed. Ze minacht hem op dit ogenblik zo erg dat ze er zelf van schrikt.

Wanneer ze Emma het slechte nieuws heeft gebracht en terugloopt naar de wachtkamer, staat dokter De Wit naast haar.

'Mieke, jullie kunnen zo afscheid nemen van je schoonvader. Daarna moeten jullie naar huis gaan. Ik ga nu weg, maar kom straks nog langs bij je schoonmoeder. Als het nodig is, zal ik haar dan iets geven om te slapen. Morgen moet er veel geregeld worden. Je man zal geen moeite hebben om te slapen! Ik wens je veel sterkte.'

Terwijl hij wegloopt, zegt hij: 'En zodra dit allemaal voorbij is, wil ik jou zien in mijn spreekkamer.'

Later zitten ze bij elkaar in het huis van pa en maatje. Emma en Jan zijn ook aangekomen. Er zijn geen woorden meer. Stil zitten ze bij elkaar. Dan staat Emma op.

'Het is bijna half vijf. U moet nog even gaan liggen, Ma. Neem een tabletje dat dokter De Wit heeft gegeven en probeer wat te slapen. De komende dagen zullen nog zwaar zijn.

Wij blijven hier. Gaan jullie ook naar huis. Je zult toch nog genoeg moeten regelen voor Ruben. Ga ook wat slapen. Morgen rond de middag komt de begrafenisondernemer. Als jullie hier dan weer zijn, is vroeg genoeg.'

Mieke staat op. 'Kom,' zegt ze. Ze kijkt Ed niet aan, maar loopt naar de deur.

Zwijgend rijden ze door de vroege ochtend naar huis. Mieke rijdt.

Thuisgekomen praten ze even met de buurvrouw en gaan dan naar boven. Mieke heeft nog steeds geen woord tegen Ed gezegd. In het donker liggen ze naast elkaar in bed.

'Miek, het spijt me.'

'Dat zal wel ja, mij ook.' Koud en kil voelt ze zich.

Ed zegt niks meer. Na een poosje hoort ze zijn snurkende ademhaling. Ze blijft heel stil liggen. Nu pas komen de tranen. Ze stromen maar uit haar ogen op het kussen. Het is alsof ze niet meer kan stoppen. Ed slaapt. Mieke huilt. Ze huilt om pa Smit, om maatje; ze huilt vooral om Ed en zichzelf. Omdat ze beseft dat er iets kapot is dat nooit meer gelijmd kan worden.

Ze is toch nog even in slaap gevallen. Maar nog voordat Ruben zich laat horen, is ze er alweer uit.

Er moet veel geregeld worden. Ze moest werken vandaag, dus eerst belt ze haar directeur. Dan belt ze haar ouders. Om het verdrietige nieuws te vertellen en meteen te vragen of haar moeder vandaag een poosje op Ruben kan passen. Ed heeft een vrije dag, dus mevrouw Broeke komt niet.

Juist wanneer ze Ruben uit zijn bedje tilt, komt Ed de kamer binnen en slaat zijn armen om hen samen heen.

Mieke verstrakt. Maar wanneer ze dan naar zijn gezicht kijkt, stroomt ze toch weer vol met liefde. Of is het medelijden?

Ze ziet Eds gezicht, zo vol verdriet en wanhoop.

'Miek,' zegt hij, 'oh, Mieke ik vind het zo erg allemaal. Ik doe jou zo veel tekort, het spijt me, o het spijt me toch zo. En nu dit met pa. Ik kan het gewoon niet geloven.'

Ze kijkt hem aan, ziet de pijn in zijn ogen. Ze weet dat zijn spijt, zijn verdriet echt is. Ze heeft medelijden met hem, maar tegelijkertijd voelt ze boosheid. En vooral voelt ze haar eigen onmacht. Onmacht om Ed te troosten, onmacht om de situatie te veranderen. Maar door al die gevoelens heen weet ze dat ze van hem houdt, hem niet kwijt wil.

'Laten we gisteravond maar vergeten. Er zijn nu belangrijkere dingen. We praten er nog wel eens over.'

Ze geeft Ruben aan hem over en geeft daarna een snelle aai over zijn wang.

'Hier, geef jij hem even een schone broek. Dan maak ik zijn fles en zet vast koffie. Over een uurtje komt mijn moeder. Dan kunnen we meteen weer naar maatje gaan.'

Wanneer ze later bij maatje aankomen, treffen ze haar heel rustig aan.

'Ik ben blij dat jullie er zijn, kinderen. Pa wordt straks thuisgebracht.'

Later staat Mieke lang naast haar schoonvader. Eerst heeft ze samen met Ed bij de kist gestaan. Maar hij is na een minuut zacht weggelopen. Nu staat ze daar alleen. Ze kijkt naar zijn gezicht. Het staat vredig, tevreden lijkt het.

Ze legt even haar hand op zijn koude hand.

'Pa,' zegt ze zacht, 'pa, wist u het? Of begreep u het net zo min als ik? Het is niet waar, hè?' Beschaamd doet ze een stap naar achter. 'Waar ben ik mee bezig?' denkt ze. 'Waar ben ik mee bezig? Valt niet alles weg bij het overweldigende van de dood?'

Later spreken ze met de begrafenisondernemer. Maatje zit er zwijgend bij. Ze laat de beslissingen over aan haar kinderen. Maar het is vooral Emma, die de beslissingen neemt. Ed, Mieke en Jan zitten er stil bij.

'Wat lijkt Emma toch op haar vader,' denkt Mieke. 'Daarom botste het waarschijnlijk ook zo vaak.'

De dagen tot de begrafenis gaan langzaam voorbij. Na de eerste drukte van alles regelen en het schrijven van de kaarten is er weinig meer te doen. Jan is weer naar huis gegaan en komt de dag voor de begrafenis terug met de kinderen.

Emma is bij maatje gebleven, en Ed en Mieke rijden een beetje heen en weer. 's Nachts slapen ze thuis, en overdag zijn ze veel bij maatje.

Ed is heel stil deze dagen. De eerste avond na het overlijden heeft hij 's avonds in bed Mieke dicht tegen zich aan getrokken. Stil lagen ze zo een hele tijd bij elkaar. Ed huilde. Mieke voelde zijn tranen over haar gezicht lopen. Ze heeft hem troostend gestreeld. Als een moeder die haar kind troost. Zo heeft ze het ook ervaren. Maar het was goed. Daarna heeft Ed niet meer gehuild. Wel Miekes armen steeds weer gezocht. Als een kind.

Mieke heeft het gevoel dat ze in een soort vacuüm leeft. Ze is met Emma bij maatje, ze praat met haar over pa, over de dingen die straks moeten gaan gebeuren. Maar haar gewone leven staat helemaal stil. Ruben logeert bij zijn opa en oma. Daar heeft ze geen zorg over. Ze heeft nu een ander kind. Voor nu is het goed zo.

Woensdagmiddag is de begrafenis. Later, na het condoleren, zitten ze weer samen in de kamer bij maatje.

Dominee Dijkhof is nog even met hen meegegaan. Nu is hij ook naar huis. Ze hebben allemaal opeens kennis met hem gemaakt. Op een heel droeve manier. Maar maatje heeft veel steun van hem ervaren. Ook al heeft hij vader Smit nauwelijks gekend, toch was de rouwdienst heel persoonlijk.

Nu zitten ze stil bij elkaar.

'Jullie moeten straks echt allemaal weer naar huis gaan.' zegt maatje. 'Ik moet er toch aan wennen alleen te zijn. Jullie hebben je eigen leven; dat gaat ook weer verder. En ik ben moe. Ik vind het niet erg vanavond al alleen te zijn.'

Emma en Jan stappen het eerst op. Marieke, Ellen en Sophie moeten morgen weer naar school.

Wanneer Emma afscheid neemt van Mieke, zegt ze: 'Dat is wel een andere week geworden dan we gepland hadden, hè? Ik hoop dat je toch een keer komt binnenkort. Je werkt toch maar een halve week? Ik bel je binnenkort om iets af te spreken.'

'Ik kijk wel. Goeie reis jullie.'

Later rijden ze samen naar huis.

Ruben zal morgen weer thuis worden gebracht.

Wanneer ze binnenkomen, valt opeens op hoe stil het is. Na al die dagen van samen zijn met de familie, en zeker vandaag met de drukte van de begrafenis. En nu is dat opeens voorbij.

Mieke is moe.

'Ga jij maar lekker op de bank zitten; dan zet ik koffie.' Ed doet de schemerlampjes aan streelt in het voorbijgaan over haar haar. Dit is Ed weer zoals Micke hem altijd heeft gekend. Het verwart haar.

Ze hoort hem fluiten terwijl hij in de keuken bezig is. Dan stopt het fluiten abrupt. Wanneer hij even later met twee bekers koffie de kamer in komt, zegt hij: 'Dat kan eigenlijk niet, hè, zo vrolijk zijn als je je vader net begraven hebt. En ik ben ook wel verdrietig, zeker voor mijn moeder, maar het klinkt misschien gek, Miek, maar ik ben ook een beetje opgelucht. Alsof er een zware last van me af gevallen is.'

Ze kijkt hem van opzij aan terwijl hij naast haar gaat zitten.

'Hoe bedoel je precies?'

'Ik geloof dat ik eigenlijk altijd een beetje bang van hem geweest ben. Terwijl ik hem tegelijk ook bewonderde. Ik wilde zijn zoals hij was. En tegelijkertijd wilde ik mezelf zijn, maar had ik het gevoel dat dat niet mocht van hem. Dat ik niet goed was zoals ik was, het nooit goed kon doen in zijn ogen. En nu heb ik het gevoel alsof die druk eindelijk weg is. Dat ik mezelf mag zijn.'

'Dat je dat gevoel had toen je nog thuis woonde, kan ik me wel een beetje voorstellen, maar waarom was dat er dan nog steeds toen je de deur uit was? In je werk en hier thuis kun je toch jezelf zijn, of is dat niet zo? Belemmer ik je daarin?'

'Nee, het was onbewust nog steeds de invloed van mijn vader. En nu hij er niet meer is, valt dat opeens weg. Ik ben me daar niet eens zo van bewust geweest, maar ik merk het nu. Alsof er een last van me afgevallen is. Erg eigenlijk, hè?'

'Ja, maar je vader heeft dat vast niet beseft. Dus je hebt hem er ook niet mee gekwetst.

Ed, denk je dat het nu tussen ons daardoor ook weer beter zal gaan? Ik mis je, Ed, en ik wil zo graag dat het weer wordt zoals het was toen we net getrouwd waren ...'

Hij zet zijn lege beker op tafel en slaat zijn arm om haar heen.

'Het komt vast allemaal weer goed, Miek. Ik houd toch van je.'

Zo zitten ze nog een poosje stil bij elkaar.

'Is dit de oplossing van al onze problemen?' denkt ze. 'Zou het zo simpel zijn? Maar tegelijk zo erg: dat de dood van zijn vader nodig was om ons weer bij elkaar te brengen?'

Maar het doet er niet toe. Nu niet. Ze zit hier, veilig in zijn armen, en alles zal goed komen.

'Zullen we op tijd naar bed gaan? Het waren drukke dagen.' In haar vraag ligt een andere vraag, een belofte.

'Ga maar vast; ik kom zo.'

Wanneer ze een uur later nog steeds stil in het donker staart en wacht, weet ze dat de oplossing helemaal niet zo simpel is als ze even, heel even, heeft gedacht.

23

In de weken na de begrafenis gaat alles al gauw weer zijn gewone gang. De herfstvakantie is ongemerkt voorbijgegaan, en Mieke is weer aan het werk.

Ze merkt dat het haar weer steeds meer moeite kost. Ze heeft weer veel hoofdpijn, en het inslapen gaat ook moeizamer. Ze durft niet naar dokter De Wit te gaan om iets te vragen om te slapen. Ze is bang voor zijn scherpe blik en kritische vragen. Want wat moet ze zeggen? Er is immers toch niks aan te doen.

Op haar vrije dagen gaat ze regelmatig even een kopje koffie of thee drinken bij maatje. Ze verbaast zich er elke keer weer over hoe flink haar schoonmoeder eigenlijk nog is, ondanks de handicap van de reuma. Het is alsof ze opbloeit. Alles werd altijd voor haar beslist en geregeld door pa. En nu ze het opeens allemaal zelf moet doen, blijkt ze nog over heel wat meer kracht en zelfstandigheid te beschikken dan iedereen, ook zijzelf, ooit had gedacht.

Op een middag, terwijl ze samen aan een kopje thee zitten en Ruben knoeit met zijn eerste lange vinger, die oma voor hem heeft gepakt, zet maatje opeens haar kopje neer.

'Kind, ik moet je toch iets vragen. Ik wil me niet met jullie leven bemoeien, hoor, maar gaat het wel goed bij jullie? Je ziet er zo slecht uit. En toen met pa ... wat was er toen met Ed aan de hand? Hij had gedronken, hè? Hij was helemaal niet aan het werk, toch?

Echt, Mieke, ik wil me niet bemoeien met zaken die me niet aangaan, maar ik maak me echt ongerust over jullie. Kan ik iets voor je doen? Is er iets waar je over wilt praten?'

Mieke weet even niet hoe ze moet reageren. Eén ding weet ze zeker: ze wil maatje nergens mee belasten.

Ze pakt de hand, die onrustig over het tafelkleed heen en weer gaat.

'Maatje, u hoeft zich echt geen zorgen te maken. Ed heeft het erg druk gehad op zijn werk. En zelf vraag ik me ook wel eens af of ik niet te veel hooi op mijn vork neem met mijn baan naast mijn gezinnetje. De een doet dat nou eenmaal makkelijker dan de ander. Ik heb vaak last van hoofdpijn, dus misschien moet ik er volgend jaar mee stoppen. U ziet: niks om je bezorgd om te maken.'

Maatje schudt haar hoofd. 'Je bent een lieve meid, Mieke. Pa zei dat niet zo gemakkelijk, maar hij was ook erg blij met je. Hij was vaak bezorgd over Ed voordat hij jou leerde kennen. En ik ook ...'

Ze staat op om nog een keer in te schenken. Met haar rug naar Mieke toe zegt ze: 'Ik snap best dat je mij wilt sparen, maar Mieke, als het echt niet goed gaat, ga dan eens met Emma praten. Zij kent Ed ook.'

Mieke weet niet wat ze moet zeggen. Wat bedoelt maatje?

'Ach, wil jij de kopjes even op tafel zetten? Mijn handen doen het steeds minder goed. En o kijk, wat zit dat kleine mannetje lekker te knoeien! Je vind het toch niet erg dat ik hem een lange vinger heb gegeven? Je moet maar denken: oma's zijn er nou eenmaal om te verwennen! Zeker zo'n ouwe oma als ik.'

'Zolang het maar bij lange vingers blijft, is het goed,' neemt Mieke de luchtige wending van het gesprek over. 'Als u hem de volgende keer maar geen ijsje geeft, vind ik het best. Hij heeft tenslotte al drie tanden, dus die mag hij af en toe best eens gebruiken. Ik ben ook bezig met brood, maar dat vindt hij maar helemaal niks. Het is echt een snoeperd, kijk maar eens hoe dit erin gaat.'

Ze komen geen van beiden nog op het vorige gesprek terug, maar wanneer Mieke weggaat, krijgt ze een extra dikke knuffel van haar schoonmoeder. 'Pas goed op jezelf, meisje! En vergeet niet dat je een Vader in de hemel hebt, die al je noden kent.'

Mieke moet gauw weglopen. Anders ziet maatje haar tranen.

Onderweg naar huis peinst ze over de woorden van maatje, eerder op de middag: 'Pa was vaak bezorgd over Ed voordat hij jou leerde kennen, en ik ook ...'

Wat bedoelde ze daarmee? Of zoekt ze hier ook weer te veel achter?

's Avonds zit ze weer alleen op de bank. Ze heeft geen puf om iets te gaan doen. Ze heeft weer hoofdpijn. Ed heeft avonddienst. Maar eigenlijk maakt het ook niet uit of hij moet werken of niet. Ze zit toch altijd alleen. Tijd genoeg dus om na te denken!

Er is wel iets veranderd na de begrafenis en het gesprek dat ze hadden. Hij gaat minder vaak weg 's avonds, maar nu zit hij iedere avond achter de computer. Ze heeft nog een keer gevraagd waarmee hij toch steeds bezig is of wat hij zoekt, maar daar heeft ze een vaag antwoord op gekregen.

'Er zijn zo veel interessante sites met zo veel informatie; daar raak je nooit op uit gekeken.'

Waarover die informatie dan gaat, kreeg ze niet te horen.

Maar er is meer veranderd aan Ed.

Het is alsof hij tot rust is gekomen, en hij is opgewekter dan hij lang geweest is. Maar tegelijkertijd lijkt hij steeds verder bij haar vandaan te raken. Het begint er steeds meer op te lijken dat er een weliswaar vrolijke, maar ook een vreemde man in haar huis woont. Kan dat allemaal komen door de weggevallen invloed van zijn vader? Was de druk zo groot? Is dit de echte Ed? En was de man met wie ze ooit trouwde, een door zijn vader gevormd karikatuur? Ze kan dat bijna niet geloven. Toch gaat het er steeds meer op lijken.

Afgelopen zondagochtend, toen ze voorstelde samen naar de kerk te gaan, was er ook weer zo'n vreemde uitspraak geweest. 'Mick, ga jij maar! Ik kan met deze dominee echt helemaal niet meer uit de voeten. Misschien wordt het tijd om eens een andere gemeente te gaan zoeken. Maar dat moet ik eerst allemaal eens voor mezelf op een rijtje zetten. Maar ga jij gerust. Ik pas op Ruben, hoeft hij ook niet naar de crèche.'

Ze was te verbouwereerd geweest om te reageren. En ja, ze was alleen gegaan. Maar niet naar de kerk. Ze had zomaar rondgelopen, uren lang, en was pas om twaalf uur koud en beroerd thuisgekomen. Ruben speelde toen in de box, en Ed zat alweer achter zijn scherm. Hij had niet eens gemerkt dat ze binnenkwam.

Terwijl ze nu weer aan dat alles denkt, weet ze ook dat zij minstens zo verkeerd bezig is als Ed. Ze laat alles maar gebeuren, vraagt niets meer, protesteert niet meer. Waarom niet? Omdat ze te bang en te moe is. Bang om te horen. Of te moe om te vechten om antwoorden. Te bang en te moe om confrontaties aan te kunnen. Toch een andere vrouw? Of is er iets mis in de hersens van Ed? Of ligt het toch aan haarzelf? Kan ze hem niet meer geven wat hij zoekt in een vrouw? Heeft ze dat ooit gekund? Of is ze gewoon het meisje geweest dat Eds vader goedkeurde voor zijn zoon. Is Ed daarom met haar getrouwd?

Of ... nee, dat is niet waar!!!

'God! Waar bent U in dit gedoe? Hebt U ons dan niet samengebracht? Is er dan helemaal geen leiding in ons leven? Heb ik mezelf al die jaren voor de gek gehouden met mijn geloof in U? Bent U er wel? Bemoeit U zich wel met de alle dingen van mijn leven? Of bent U ver weg? Bent U er eigenlijk wel? Of heeft Emma gelijk ...'

Emma! Ja, ze moet naar Emma.

Ze staat op en pakt de telefoon, toetst het nummer.

Wanneer ze Emma's stem hoort, stromen de tranen over haar wangen, maar ze merkt het niet eens.

'Emma, ik moet met je praten. Mag ik alsjeblieft naar je toe komen. Ik weet het niet meer. Emma, jij moet het me vertellen. Ik kan niet meer.'

'Mieke! Wat is er er gebeurd? Waar is Ed? Word eens rustig!'

Bij het horen van de kalme stem van Emma, komt Mieke weer tot zichzelf.

'Sorry, er is niks gebeurd. Ed is aan het werk. Maar Emma, ik kan niet meer. Het gaat hier zo fout allemaal. Ik wil zo graag met je praten! Kan ik een paar dagen komen met Ruben? Heb je tijd?'

'Tuurlijk, dat had ik toch pas al gevraagd? Morgen is het vrijdag. Dan heb ik een volle agenda. Maar kom dan morgenavond en blijf het weekend. Moet Ed toevallig werken de komende dagen? Dat zou helemaal mooi uitkomen. En anders zorgt hij maar een paar dagen voor zichzelf! Ook niet verkeerd, denk ik.'

'Ja, hij moet dit weekend wel werken, maar ik moet toch eerst wel even overleggen. Ik bel je morgen nog, Emma. Maar oh, dank je wel alvast. Ik weet het echt niet meer.'

Wanneer ze heeft neergelegd, begint ze toch weer te twijfelen. Moet ze dit wel doen? Mag ze dit wel doen? Is het geen verraad aan Ed, over hem te praten met zijn zus? Maar wat moet ze anders? Wie anders kan ze in vertrouwen nemen? Dokter De Wit? Of de dominee? Maar is dat niet helemaal de vuile was buiten hangen? En zullen ze haar er niet op aankijken? Zullen ze haar wel geloven?

Het is ook allemaal zo vaag. Wat moet ze Emma eigenlijk vertellen? Ed lijkt niet meer op Ed en hij wil niet meer met me vrijen? Zal ze dat ooit tegen iemand kunnen zeggen?

Maar Emma kan misschien over vroeger vertellen, waardoor ze dingen beter gaat begrijpen. Emma kent Ed. Misschien niet zo goed als maatje. Maar bij maatje zal ze zeker nooit kunnen aankomen met haar problemen.

Els? Moet ze toch liever Els bellen? Maar het contact met haar is het laatste jaar ook minder geworden. En over deze dingen zal ze ook zeker niet met haar durven praten.

En mam? Toch weer met haar moeder praten? Maar ook die kan geen oplossing bieden. Het enige is dat ze haar dan opnieuw met al haar zorgen opzadelt.

Nee, dan toch Emma. Dat is de enige die dicht bij Ed staat, hem heel lang kent en die ook nuchter en eerlijk zal zijn. Daar twijfelt ze niet aan.

Wanneer Ed om half twaalf thuiskomt, begint Mieke er meteen over.

'Jij moet dit weekend werken, dus ik dacht, ik ga er even lekker tussenuit met Ruben. Vanavond belde Emma, en heb ik met haar afgesproken dat ik een paar dagen bij haar en Jan ga logeren. Ik kan de auto toch wel meenemen?'

'Wat is dat nou voor onzin! Naar Emma! Ik dacht dat je niet zo met haar overweg kon? Ik weet wat beters: volgend weekend ben ik vrij, dan gaan we samen een dag naar hen toe.'

'Nee, ik voel me rot, ik wil gewoon nu even weg! Een paar dagen een andere omgeving; daar knap ik vast van op! Als ik morgenavond meteen na het eten wegga, is de drukte van de spits een beetje voorbij. En dan kom ik zondag eind van de middag terug.

Ik wil dit echt, Ed.'

Hij kijkt haar een paar seconden aan. Ze ziet onrust in zijn blik.

'Waarom naar Emma? Wat wil je van haar?'

'Ik wil gewoon even weg, Ed. Ik kan het niet meer ...'

Ze bijt op haar wang. Niet huilen nu, geen drama maken.

'Ik houd van jou en Ruben, Miek.'

'Dat weet ik.'

Ja? Weet ze dat?

Ed draait zich om. Hij loopt de kamer uit. Hij verbergt zich, veilig achter zijn scherm. Later gaat Mieke alleen naar bed. Boven op de overloop hoort ze zijn vingers op het toetsenbord.

24

DIEZELFDE AVOND LIGT ANNEMARIE DE JAGER OP BED. ZE IS MET KLEREN EN al onder het dekbed gekropen. Het is donker is de kamer. Zo vindt Erik haar wanneer hij thuiskomt van een vergadering. Pas als hij het licht heeft aangedaan, ziet hij haar liggen.

'Hé, wat doe jij nou? Voel je je niet lekker?'

Hij trekt het dekbed een beetje van haar gezicht. Maar wanneer hij haar behuilde ogen ziet, weet hij genoeg.

'Ongesteld?'

Ze knikt en begint weer te huilen.

'Ik dacht het nu toch echt! Al vier dagen over tijd.'

'Ach ...'

Hij trekt haar half overeind en gaat naast haar zitten, zijn arm om haar heen.

Hij vindt het ook jammer, natuurlijk, want ook hij verlangt naar een kind. Zeker na die miskramen, of eigenlijk na die zwangerschappen, wanneer je je al een beetje hebt voorgesteld hoe het zal worden. Maar toch is hij er niet zo mee bezig als Annemarie. Maar dat durft hij eigenlijk niet tegen haar te zeggen, bang haar te kwetsen. En nu moet hij ook nog het nieuws gaan vertellen dat hij vandaag heeft gehoord. De kans dat hij voor een paar jaar in het buitenland moet gaan werken en dus ook wonen. Hij mag erover nadenken, er thuis over praten, zoals dat zo mooi gezegd is, maar eigenlijk heeft hij helemaal geen keus. Als hij 'nee' zegt tegen het aanbod, zal een ander gaan, maar dan zal hij aan de kant geschoven worden. Zo werkt dat nou eenmaal in het bedrijfsleven. Hij zucht. Nu nog maar niks zeggen, misschien morgen, wanneer ze dit weer een beetje verwerkt heeft. Hoewel, het kan ook zijn dat dit nieuws, dat Annemarie zeker niet leuk zal vinden, haar zal afleiden van haar andere problemen. Hij zucht nog eens.

'Erik?'

'Ik vind het ook heel jammer. En het klinkt misschien wel gemakkelijk, maar echt, probeer de moed erin te houden. Juist als je er misschien wat minder mee bezig bent, gebeurt het weer.'

'Dat is makkelijk gezegd: er minder mee bezig zijn.'

Hij gaat staan. 'Dan nu maar meteen!'

'We moeten ook ergens anders over praten, Anne. Toe, kom er nog even uit en laten we naar beneden gaan; dan zal ik je het vertellen.'

Beneden gekomen schenkt Erik twee glazen port in.

'Hier, dan kom je een beetje bij. Je voelt ijskoud. En dan slaap je straks lekker.'

'Vertel nou maar wat je op je hart hebt.' Rillerig zit ze op het puntje van de bank. 'Of was het gewoon een afleidingsmanoeuvre? Dan ga ik net zo lief meteen weer naar bed. Ik heb buikpijn, en in port heb ik geen trek.'

Erik zegt niet meteen iets. Hoe moet hij nou beginnen? Hoe zal ze het opvatten?

'Nou?'

'Annemarie, op de zaak heb ik een nieuwe functie aangeboden gekregen. Een promotie eigenlijk, een flinke promotie zelfs.' Nu kijkt ze hem vol interesse aan.

'Maar Erik, dat is toch hartstikke leuk voor je?'

Zo kent hij haar weer. Maar nu moet dat andere nog gezegd worden. Annemarie heft haar glas.

'Nou, daar wil ik dan wel op drinken! Per wanneer en wat houdt het precies in?'

Wanneer ze hem nog ziet aarzelen, betrekt haar gezicht.

'Je kunt toch wel in Utrecht blijven werken? Je hoeft toch hopelijk niet naar de andere kant van het land? Dan ben je eindeloos veel reistijd kwijt elke dag.'

En omdat hij nog niet meteen reageert, vraagt ze, nu heel zacht: 'We moeten verhuizen hè? Het is niet hier in de buurt! Erik?'

'Nee, het is niet hier in de buurt, en ja, als ik het aanneem, zullen we inderdaad moeten verhuizen. Er wordt een nieuwe vestiging gestart in Chicago, en mij is gevraagd daar de leiding te gaan nemen.'

'Néé.'

Ze slaat haar hand voor haar mond. 'Dat doe je natuurlijk niet, hè? Erik, heb je meteen nee gezegd?'

'Ik heb een week bedenktijd, maar eigenlijk heb ik helemaal geen keus.

Mijn hele afdeling wordt samengetrokken met Den Haag. Als ik nee zeg, sturen ze Mark Voorthuizen naar Amerika, en word ik ergens ondergeschoven waar een gaatje open is. Dus veel keus heb ik niet.'

Het blijft even stil.

'Maar als jij het echt niet wilt, dan zien we het wel. Ik kan altijd weer proberen ergens anders aan de bak te komen.'

Annemarie zit heel stil. Ze bijt op haar lip. Ook dit nog! Vreselijk! Vreselijk vindt ze het. Maar mag ze dat zeggen? Mag ze Erik tegenhouden?

Ze neemt een grote slok van de port.

'Nou ja, het zal wel moeten, hè? Laten we eerst maar gaan slapen. Morgen lijkt alles misschien wel anders.'

Ze staat op. 'Ik ga nog even douchen. Kom je ook zo?'

Dan hoort Erik haar de trap op sloffen. Hij zucht.

25

WANNEER MIEKE DE VOLGENDE MORGEN WAKKER WORDT, IS ED AL WEG.
Beneden op de aanrecht ligt een briefje. Ze leest:

Vergat ik gisteravond te zeggen: ik werk vanmiddag wat langer door. Reken maar
niet op me met eten.
Ik weet niet precies hoe laat ik thuis ben, maar als ik jullie niet meer zie: gezellig
weekend, doe voorzichtig en tot zondag!
Knuffel voor Ruben,
X Ed

Mieke frommelt het briefje in elkaar. Ze weet nu al dat hij niet op tijd
thuis zal zijn, hoe laat ze ook wegrijdt. Maar het is goed zo. Even pauze.
Ze belt meteen naar Emma. Ze krijgt het antwoordapparaat en spreekt
in dat ze vanavond rond half negen hoopt te komen met Ruben.

Later op de ochtend belt ze haar moeder om te vertellen dat ze het weekend naar Emma gaat. Wanneer haar moeder het blijkbaar verkeerd
begrijpt en zegt: 'Leuk voor jullie meid, even lekker samen een paar
dagen weg. Moeten jullie misschien vaker doen! Ruben gaat zeker
gewoon mee? Je weet het, hè, hij mag altijd bij deze oma en opa logeren,'
laat Mieke het maar zo.
Zie je wel, ze moet haar moeder daar ook niet mee belasten! De opluchting dat het blijkbaar goed gaat en ze samen gezellig een paar dagen weg
gaan, was duidelijk te horen in haar stem.
Daarna belt ze maatje.
Die begrijpt het blijkbaar wel goed. Te goed misschien.
'Dat is goed, meisje, dat is goed,' is haar enige reactie.

Om half zeven zit ze in de auto. Voordat ze op de snelweg is, is Ruben al
in slaap gevallen. Ze kijkt naar hem in de binnenspiegel. Gelukkig! Ze
zag er toch wel een beetje tegen op zo'n eind met hem alleen te gaan rijden. Stel, dat hij gaat huilen! Maar dat valt allemaal mee.

Het is druk op de weg. Ze heeft alle aandacht nodig voor het verkeer. Maar wanneer ze eenmaal op de A28 voorbij Amersfoort is, wordt het rustiger.

Ruben slaapt nog steeds, en haar gedachten zijn weer bij Ed.

Waar zou hij zijn? Wat gaat hij doen als hij alleen thuis is? Ook voortdurend achter de pc, of zou hij nauwelijks thuis zijn? Is het wel goed dat ze hem alleen laat? Hij kan zo somber en stil zijn. Hij zal zichzelf toch niks aandoen? Is het dan niet haar schuld? Zij moest zo nodig weg ...

Ho! Stop! Zo mag ze niet denken. Trouwens, de laatste weken lijkt hij juist weer meer ontspannen.

Had ze meer geduld moeten hebben? Wat gaat ze eigenlijk doen bij Emma? Haar vuile was buiten hangen? Wat kan Emma eraan doen? Is het wel eerlijk tegenover Ed? En wat moet ze daar eigenlijk gaan vertellen? En waarom eigenlijk Emma? Kan ze niet veel beter gaan praten met dokter De Wit? Of met Els, of Marleen? Of in elk geval met iemand met wie ze haar geloof deelt?

Geloof! Heeft ze dat eigenlijk zelf nog? In elk geval niet zoals maatje dat heeft. Of haar eigen ouders. Want dan zou ze nu toch niet zo bang en wanhopig zijn? Geloof is toch vertrouwen? Dat is toch meer dan naar de kerk gaan 's zondags en bidden voor het eten? Ja, toch ook meer dan danken als het allemaal goed gaat? Heeft ze zich dat dan ook alleen maar ingebeeld? En Ed? Hij was altijd druk met het jeugd- en evangelisatiewerk. En nu? Was dat ook niet echt?

Ze heeft de afgelopen maanden zo vaak gebeden, tot God geroepen, geschreeuwd. Maar er is niks veranderd. Integendeel: Ed raakt steeds verder bij haar vandaan. En haar eigen vertrouwen op God, de overtuiging dat God de leiding heeft in haar leven, brokkelt steeds verder af.

Eén ding weet ze zeker: hierover wil ze beslist niet praten met Emma. Misschien is ze bang dat Emma zelfs het laatste beetje godsvertrouwen uit haar weg praat.

Maar voorlopig wordt er helemaal niet serieus gepraat. Wanneer ze stopt voor deur bij Emma en Jan, wordt Ruben wakker. Maar als hij na een beetje drinken tien minuutjes later weer in bed ligt, slaapt hij zo weer verder. Dat tot spijt van zijn drie nichtjes, die graag de aandacht wilden van hun kleine neefje.

De rest van de avond is eigenlijk heel gezellig.

Jan heeft terloops gezegd: 'Alles goed met Ed? Aan het werk dit weekend, begreep ik van Emma?'

Ze knikte maar wat, en verder werd er niet op ingegaan.

Emma schenkt koffie in. Marieke, Ellen en Sophie zitten er gezellig bij, en langzaam voelt Mieke zich wat ontspannen.

Later wanneer de jongste twee naar bed zijn en Marieke naar haar kamer is gegaan, schenkt Jan een glas wijn in. Het gesprek blijft een beetje voortkabbelen.

'Misschien moet ik dit weekend gewoon lekker uitrusten en helemaal nergens over praten,' denkt ze. 'Gewoon even afstand nemen is misschien al genoeg. Waarom anderen met mijn problemen opzadelen? Dat kost hun energie, en mij ook! Laat ook maar.'

'Volgens mij slaap jij al bijna. Nog een slokje wijn? Of wil je naar bed? We hebben tenslotte nog een heel weekend voor ons om bij te praten. Volgens mij ben je hartstikke moe.'

Mieke komt omhoog van de bank.

'Ja, als je het niet erg vindt ...'

Maar even later in bed ligt ze toch weer lang wakker. Het bed is harder dan thuis, en vlak naast zich hoort ze de zachte ademhaling van Ruben. Maar ze is moe, zo moe! Ze wil slapen, niet denken!

Waar zou Ed zijn? Slaapt hij al? In haar gedachten ziet ze hem zitten achter de computer. Zijn hoofd in zijn handen. Gekwelde blik in zijn ogen ... Zoals ze hem zo vaak heeft zien zitten. Ed! Waar ben je? Waar ben je mee bezig? Is het omdat je ...

Nee, het is niet waar!

De volgende ochtend wordt ze wakker van gedempte stemmen op de gang voor haar slaapkamerdeur.

'Mamma, mag ik nou kijken of Ruben wakker is? Ik hoorde echt wat!'

'Nee Sophie, echt niet! Tante Mieke slaapt nog, en Ruben ook. En nu stil, anders maak je ze nog wakker. Vooruit, naar beneden en zachtjes.'

Ze komt omhoog en gluurt voorzichtig in het campingbedje, vlak naast haar. Ruben is gaan staan en lijkt met grote ogen de schemerige, maar vreemde omgeving op te nemen. Hij heeft haar blijkbaar nog niet gezien. 'Ruby,' zegt ze zacht. Met een plof laat hij zich vallen en draait zich naar haar om.

Ze is al uit bed en tilt hem uit zijn bedje.

'Hier, kom maar lekker even bij mamma liggen.'

Ze knuffelt hem, lekker dicht tegen zich aan.

'Schatje,' fluistert ze, 'schatje, als ik jou toch niet had!'

Hij probeert over haar heen te klimmen, en als dat niet lukt, begint hij te huilen.

Tegelijkertijd wordt er op haar deur gebonkt.

'Tante Mieke, ben je wakker? Mag ik komen?'

Ellen en Sophie komen binnen.

'Mag Ruben naar beneden? Mag ik hem pap geven?'

Zo verloopt de ochtend.

Alles draait om Ruben. De meisjes vechten bijna om hem en om zijn aandacht.

'Prima,' denkt Mieke. Ik hoef helemaal niet te praten, daar komt helemaal niks van terecht.'

Om half twaalf ligt Ruben weer in bed. Emma schenkt nog eens koffie in, en wanneer ze even rustig zitten, zegt ze: 'Zo, en nu onze plannen voor de rest van de dag! Marieke en Ellen hebben straks allebei een volleybalwestrijd, allebei thuis. Pappa gaat kijken, en Sophie gaat het hem mee. Dan hebben Mieke en ik eindelijk eens even rustig de tijd om bij te praten.'

Sophies protest dat ze liever thuis blijft bij Ruben, helpt niks.

'Ruben is er straks ook nog. Hij slaapt trouwens een groot gedeelte van de middag, dus daar heb je ook niet veel aan. Jij gaat gewoon met pappa mee, en verder geen gezeur. Klaar.'

'Dat is echt Emma,' denkt Mieke. 'Precies haar vader. Zo gebeurt het en verder geen gezeur.'

Ze weet niet of ze er blij mee is. Aan de ene kant ziet ze ertegen op alleen met Emma achter te blijven. Aan de andere kant: hiervoor is ze toch gekomen? Ze besluit het gesprek maar te laten komen zoals het komt, of niet.

Om half drie rijdt Jan met de jongste twee in de auto weg. Marieke is al eerder weggegaan.

'Graag niet te vroeg terug,' zei Emma toen Jan wegging. 'We eten pas om half zeven.'

Mieke heeft vandaag met gemengde gevoelens naar Jan en Emma gekeken en geluisterd. Ze krijgt niet echt hoogte van Jan. Hij is rustig, laat Emma de lakens uitdelen, maar toch is hij zeker geen doetje. Gaat rustig zijn gang. Zijn dochters zijn duidelijk dol op hem, en Emma? Stoot hij zich niet aan haar koele, soms harde manier van doen? Of heeft hij geleerd daar doorheen te kijken? Als er twee mensen verschillend zijn, zijn Jan en Emma het wel. En toch gaat dat goed, tenminste, zo lijkt het. Waarom kan het dan bij Ed en haar niet goed gaan? Zo op het oog passen zij zelfs veel beter bij elkaar dan Emma en Jan. Wat is er dan misgegaan?

'Zo, eindelijk even rust,' onderbreekt Emma haar gedachten.

'Waar heb je zin in? Wil je nog met Ruben naar buiten voordat hij weer gaat slapen? Of moet hij er al bijna weer in? Ruim negen maanden is hij nu, hè? Ja daar ben ik een beetje uit, dat slaapritme van zo'n kleintje. Nou, zeg het maar, wat wil je? Voor mij hoeft het niet hoor, buiten gaan lopen. Zo lekker is het niet, maar zeg het maar.'

'Nee, laat hem maar lekker in de box. Fijn trouwens, dat je die nog hebt! Hij heeft het nog best naar zijn zin, en hij gaat zo weer slapen. Zoveel rust heeft hij nog niet gehad vandaag.'

'Je kunt zien dat hij niks gewend is, wat lawaai betreft. Maar ja, dat heb je met een eerste kind, die worden wakker van elk geluidje in huis. Dat was met Marieke ook zo. We durfden nauwelijks boven de wc door te trekken als ze sliep. 'Belachelijk', denk je later! Dat was bij de volgende kinderen wel anders. Die waren er vanaf het begin aan gewend dat er geluiden waren in huis. Nou, dat zul je zelf ook wel merken als er eens een tweede komt. Nog geen plannen in die richting?'

Boem! Dat is Emma!

Mieke voelt de tranen in haar ogen springen. Vooruit: dan ook maar meteen in het diepe!

'Voor een kind is seks nodig, en daar doen wij niet aan.' Het flapt er zomaar uit. Ze schrikt er zelf van. Misschien schrikt ze wel het meest van de bittere toon. Zelfs Emma is er even stil van. Dan staat ze op en komt naast Mieke op de bank zitten.

'Joh, Mick, is het zo erg?'

Ze zegt niks, ze huilt, ze huilt.

'Mieke? Wil je er meer over vertellen? Of is dat moeilijk?'

Het blijft lang stil.

'Is het zo erg?'

'Veel, veel erger ...'

'Mieke, ik ben misschien niet altijd even tactisch, maar eromheen praten helpt ook niet. Mieke, is Ed homoseksueel?'

Het woord valt in de kamer, het echoot honderd keer, dan blijft het stil.

'Ja.'

Het blijft weer stil. Minuten lang. Mieke huilt niet meer. Ze is stil geworden. Heel stil. Alle twijfels, alle vragen, alle vermoedens, alle angst, alles is weg. Ze wist het immers al. Al heel, heel lang. Al veel langer dan in die vakantie op Rhodos. Toen wist ze het bewust. Maar al maanden daarvóór leefde het in haar onderbewustzijn. Nu is het gezegd. Eindelijk.

'Emma,' zegt ze, 'Emma, wat moet ik toch doen?'

Het blijft weer lang stil. Ruben is in de box in slaap gevallen. Mieke kijkt naar hem, tilt hem uit de box en legt hem boven in zijn bedje. Dan gaat ze weer op de bank zitten. Bij Emma. Stil. Dat het uitspreken van een woord het geweld als van een explosie kan geven en tegelijkertijd zo'n stilte kan veroorzaken.

Eindelijk begint Emma te praten.

'Hebben Ed en jij er ooit over gepraat? Weet hij dat jij het weet?'

Mieke schudt haar hoofd.

En dan begint ze te vertellen. Alles kan ze eindelijk kwijt. Er is geen schaamte. Het is alsof ze niet eens beseft dat er iemand naar haar luistert. Emma luistert. Ze onderbreekt haar niet één keer.

Wanneer Mieke eindelijk stil is, zegt ze: 'Je moet hulp zoeken, Mieke. Maar Ed ook. Ja, Ed zeker ook. Hij moet het ook erg moeilijk hebben, Mieke. En altijd gehad hebben.'

En dan begint Emma te praten. Over Ed van vroeger, haar broertje. Over hun vader en diens wil.

'Wil je dit allemaal horen, Mieke? Weet je het zeker?'

'Ja, alsjeblieft, vertel alles.'

'Ik denk, dat pa hier ook altijd bang voor geweest is. Ed was te lief, te zacht in zijn ogen. En vanaf zijn jeugd heeft Ed te horen gekregen, als het zo uitkwam, dat homofilie een vreselijke zonde was, volgens pa. Hij heeft dus nooit de ruimte gekregen om daarin ooit eerlijk te zijn. Weet je, Mieke, het klinkt misschien hard, maar ik zie het zo: dankzij die God van pa zitten Ed en jij nou met de ellende! Ik weet dat jij anders over geloof denkt dan ik, maar hier kun je toch niet omheen? Als Ed eerlijk had kunnen uitkomen voor zijn geaardheid, was hij nooit met jou getrouwd. Dan was hij gelukkig geweest, en jij was ongetwijfeld gelukkig geworden met een andere man. Begrijp je nou dat ik niets kan met zo'n God?'

Het blijft weer stil.

Mieke weet dat Emma's redenering ergens niet klopt. Maar ze kan er niet de vinger op leggen. Haar hoofd bonkt. Dan komt Emma's arm om haar heen. Een ongewoon gebaar voor Emma. Maar daardoor bijzonder troostend.

'Mieke, dat laatste had ik misschien nu niet moeten zeggen. Wat heb je er aan? Het is gegaan zoals het gegaan is. Je moet verder; omkijken heeft geen zin. Je moet met Ed praten. Dat eerst. Hij moet ook eerlijk zijn. En dan ... Ja dan? Jullie hebben een kind, hij is vader. Dat geeft een band. Maar verder? Wat wil hij? Wat wil jij? Je zult hem los moeten laten, Mieke, want een huwelijk hebben jullie allang niet meer. Maar hoe? Ik weet het ook niet.'

Het blijft weer stil.

'Ik wil naar huis! Ik moet nu naar huis! Naar Ed.'

'Nee, Mieke, dat gaat niet, je kunt nu niet naar huis rijden. Probeer een beetje tot rust te komen. Dan kun je morgen naar huis gaan.

Denk na, probeer in elk geval na te denken, hoe je verder moet. Hoe wil je het gesprek met Ed in gaan? Zet het voor jezelf een beetje op een rijtje. Jij wilde er over praten; hij is misschien nog niet zover. Besef je je dat wel? Dat hij dingen misschien zal ontkennen. Je hebt immers al zo vaak geprobeerd met hem te praten. Ik denk dat je hem moet confronteren, duidelijk moet vragen, eigenlijk zoals ik het aan jou vroeg. Denk je dat je dat aan kunt? Daar moet je goed over denken, Mieke. Gebruik daar in elk geval deze dag nog voor. Je hebt recht op de waarheid, Mieke, vergeet dat niet.'

'Stel dat ik me vergis, dat het niet zo is. Oh, Emma, stel je voor dat ik hem vals beschuldig hier tegen jou ...'

Ze begint weer te huilen. Emma laat haar even; dan vraagt ze rustig:

'Twijfel je er ook maar een klein beetje aan of het echt zo is?'

'Nee, nee, ik weet het zeker, je hebt gelijk.'

Langzaam wordt het huilen minder, wordt ze weer stil.

'Emma, raar hè, dat het zo'n rust geeft, nu het woord eindelijk gevallen is. Ik dacht, dat het dan juist nog veel erger zou zijn.'

'Dat komt nog Mieke, maar voor nu is het goed zo.'

De rest van de middag zitten ze zomaar wat op de bank. Telkens komt er weer iets boven bij Mieke: een vraag over vroeger, een vraag over de toekomst. Emma kan er vaker geen antwoord op geven dan wel. Maar het geeft rust. Voor nu geeft het rust. Pas wanneer ze Ruben boven horen huilen, komen ze weer terug in het heden.

Emma gaat alvast aan het eten beginnen, en Mieke zorgt voor Ruben. Een schone broek, een fruithapje klaarmaken. Ze voelt zich leeg, zo leeg. Niet denken nu, gewoon handelen. Vanavond in bed en morgen, dan gaat ze weer denken. Nu niet.

Later weet ze niet meer hoe ze de rest van het weekend is doorgekomen. Het is als een waas langs haar heen gegaan. 's Zondagsmorgens heeft Marieke haar, en duidelijk ook haar ouders, verrast door voor te stellen:

'Tante Mieke, als je soms naar een kerk of zo wilt, ga ik met je mee. Mamma past wel op Ruben, denk ik.'

Als er iets was, waar Mieke nu géén behoefte aan heeft, is het naar de kerk gaan.

Ze heeft weinig geslapen en heeft barstende hoofdpijn. Maar ze vindt het zo bijzonder dat Marieke, die nooit in de kerk komt, dit voorstelt, dat ze niet durft te zeggen dat ze liever thuisblijft.

'Wat leuk, Marieke, dat doe ik graag! Weet jij ook welke kerk?'

'Mm, zit daar nog verschil in dan? Ik dacht de grote kerk in het centrum, vind je dat goed?'

'Natuurlijk, maar weet jij zeker dat je dat echt wilt?'

'Ja hoor, ik heb daar altijd al graag eens binnen willen kijken.'

Zo zijn ze samen naar de kerk gereden. Van de dienst is het meeste langs Mieke heen gegaan; haar hoofd is te vol met gedachten. Een paar woorden van de dominee zijn blijven hangen.

'En toch ...'

Ze weet niet meer in welk verband hij het zei, maar het blijft zich herhalen in haar hoofd. 'En toch ...'

Ondanks haar problemen beseft ze dat het heel bijzonder is dat ze zo samen met haar nichtje deze dienst meemaakt.

Onderweg naar huis vraagt ze: 'Hoe vond je het Marieke?'

'Ach, ik begrijp een heleboel niet. Zo'n dominee gebruikt een heel aparte taal, lijkt het wel. Maar toch, ik denk dat mensen die geloven, toch wel iets extra's hebben, wat ik niet heb. Maar of je daar nou zo veel gelukkiger door wordt ... Ik weet het niet hoor. Ik mis niks, geloof ik. Maar ik vind het wel een erg mooie kerk, prachtige bouwstijl.'

Mieke mist de energie om er verder op in te gaan.

'Ik vond het in elk geval erg leuk dat je met me mee ging.'

Wanneer ze later koffie hebben gedronken, wordt Mieke steeds onrustiger.

'Ik denk dat ik zo maar ga rijden.'

'Blijf in elk geval nog eten,' zegt Emma. 'We kunnen best vroeg, zo halverwege de middag, warm eten. Als je dan daarna meteen wegrijdt, kun je toch nog thuis zijn voordat het helemaal donker is.'

Ze kijkt naar Miekes witte gezicht. 'Zie je het trouwens wel zitten om zelf naar huis te rijden?'

'Dat gaat wel, hoor.'

Er is geen gelegenheid meer voor een gesprek. De kinderen zijn thuis, en de twee jongste wijken geen moment van Rubens zijde.

Wanneer ze later afscheid neemt van Emma, begint ze weer te huilen.

'Emma, ik ben zo bang! Wat moet ik nou doen? Ik durf er niet over te beginnen.'

'Je moet! En anders ga je naar je huisarts. Bespreek het met hem. Maar je zult toch eens zelf de confrontatie aan moeten gaan, Mieke. Daar kan niemand je echt bij helpen.'

Ze weet niet wat Emma tegen Jan heeft verteld. Hij deed vandaag niet anders tegen haar dan gisteren, maar als ze hem gedag zegt, slaat hij zijn arm om haar heen en zegt: 'Sterkte, meisje, veel sterkte! En denk eraan: je bent hier altijd welkom.'

Ze knikt en veegt haar ogen af.

'Bedankt en tot ziens.'

'Wees voorzichtig, hoor! Denk aan dat kleine mannetje achterin! Houd je hoofd bij het verkeer en laat ons even weten wanneer je thuis bent.'

De bezorgdheid van Emma doet haar goed.

Maar ze wil weg, niet meer praten. Denken moet ze, nadenken. Ze moet naar huis. Naar huis, ja, maar dan?

Hoe dichter ze haar doel nadert, des te langzamer gaat ze rijden. Wat moet ze doen? Praten met Ed? Maar hoe? Wat moet ze zeggen? En als ze nu meteen dat moeilijke gesprek aangaat, zal hij dan niet begrijpen dat ze er met Emma over gesproken heeft? Zal hij zich dan niet meteen aangevallen, verraden voelen?

Wanneer ze eindelijk haar eigen straat in rijdt, besluit ze er zeker vandaag niet over te beginnen. Ze moet het eerst zelf een beetje op een rijtje hebben. Ze is nu ook te moe; haar hoofd bonkt. Niet nu, nee, zeker niet nu. Ze maakt Ruben wakker en draagt hem naar de deur. Het hele huis is donker. Ed is er niet.

Binnen is het koud. De thermostaat staat laag. Het ziet er verlaten uit. Ze zet Ruben met zijn jasje nog aan in de kinderstoel en maakt een flesje drinken voor hem. Dan loopt ze het huis door. En in elk vertrek groeit de zekerheid: Ed is niet thuis geweest sinds zijzelf vrijdagavond is weggegaan.

Ze heeft vrijdag het bed nog verschoond, en daar is duidelijk niet meer in geslapen. Ook de badkamer is nog even opgeruimd en schoon als ze hem vrijdag heeft achtergelaten. En het duidelijkste bewijs is de krant van zaterdag en wat drukwerkjes die nog achter de voordeur op de mat liggen.

Waar is Ed?

Nadat ze Ruben zijn jasje heeft uitgetrokken en hem met wat speeltjes in de box heeft gezet, gaat ze op de bank zitten. Wat nu? Ze kijkt voor alle zekerheid nog eens op de kalender, waar Eds werkrooster op staat. Vroege dienst vandaag. Dus hij had nu zeker al thuis kunnen zijn. Waar is hij, en waar is hij het hele weekend geweest?

Ze is weer op de bank gaan zitten.

Natuurlijk! Ze kan hem op zijn mobiel bellen! Stom, dat ze daar niet eerder aan gedacht heeft! Ze heeft nota bene zelf ook een mobieltje, maar ze gebruikt het eigenlijk nooit. Ze had het dit weekend bij zich, maar is, zoals gewoonlijk, vergeten het aan te zetten. Wie weet heeft hij haar geprobeerd te bereiken.

Net heeft ze de code ingetoetst, of de gewone telefoon gaat.

Zou dat ...

'Mieke Smit.'

'Met Emma. Gelukkig, je bent er. Het duurde zo lang. Ik dacht ik zal zelf maar even bellen. Goeie reis gehad? En daar ook alles goed?'

'Oh sorry, Emma, ik vergat je te bellen. Alles is goed gegaan. Alleen ... nou, Ed is niet thuis, en ik maak me eigenlijk een beetje ongerust. Waar zou hij nou zitten?'

'Joh, hij had jullie waarschijnlijk nog niet terug verwacht; hij zal zo wel komen. Daar zou ik me maar niet te druk over maken. En Mieke, ik heb vanmiddag nog eens na lopen denken, maar als ik jou was, zou ik straks niet meteen met Ed een zwaar gesprek beginnen. Want dan voelt hij natuurlijk best dat hij hier ter sprake is geweest. En dat lijkt me niet zo verstandig. Laat er een paar dagen overheen gaan. Dan kun je ook

voor jezelf bedenken hoe je dit gesprek wilt aanpakken.'
'Ja, dat had ik zelf ook net bedacht. Het komt wel, Emma, maar ik moet
er eerst nog eens goed over denken. Bedankt in elk geval dat ik mijn hart
bij je mocht luchten!'
'Nou ja, daar heb je op zichzelf niet zoveel aan. Het echte werk moet je
zelf doen. Maar niet te lang uitstellen, hoor, Mieke. Daar schiet je niks
mee op! En voor nu: maak je niet te druk. Hij komt heus zo wel opda-
gen. Maar zo niet, of er is iets anders, bel me gerust. Heeft hij trouwens
geen mobiel? Dan kun je hem toch bellen? Nou, ik hoor het wel! Sterkte!
Doei.'
Mieke geeft geen antwoord meer en legt snel de telefoon neer, want haar
mobiel geeft vier piepjes: een sms!
Ze leest: 'weet niet of je al thuis ben, mij alles ok, kom morgen thuis,
moeten praten, x ed.'
Ze leest het schermpje drie keer; de tekst blijft hetzelfde. En nu? Terug
sms'en? Bellen? En dan? Ze weet het niet, wil het ook niet meer weten.
Ze maakt een fles pap voor Ruben, trekt hem zijn pyjamaatje aan en
brengt hem naar bed.
Daarna zit ze nog lang in de kamer. Ze doet geen licht aan. Ze moet
nadenken, maar ze kan niet meer nadenken.
'Ed, waar ben je? God, waar bent U? Bent u wel ergens? En toch ...'
Om drie uur wordt ze wakker. Ze zit koud en stijf onderuitgezakt op de
bank. In het donker loopt ze naar boven en kruipt met haar kleren aan
onder haar dekbed.

26

HET EERSTE WAT ZE DE VOLGENDE MORGEN DOET, IS ZICH ZIEK MELDEN OP school. Ze voelt zich ook echt ziek, ziek van angst. Nadat ze in bed is gaan liggen, heeft ze nauwelijks meer geslapen. En als ze al even weg-dommelde, schoot ze steeds weer met een schok wakker. En telkens opnieuw besefte ze dat het geen boze droom was, maar werkelijkheid. Het gesprek met Emma, het thuiskomen in het lege huis en het sms'je van Ed.

'We moeten praten.'

Soms denkt ze: 'Ik heb me vergist. Er is heel iets anders aan de hand', maar tegelijkertijd weet ze dat ze zich niet vergist. Allerlei herinneringen laat ze bovenkomen in haar gedachten. Dingen die Ed heeft gezegd, gebeurtenissen die toen onschuldig leken en nu zo'n andere lading krij-gen. Ze heeft haar hoofd in het kussen geduwd, gehuild; ze is opgestaan, door de slaapkamer gelopen, dan weer neergevallen op bed.

'God, dit kan niet, dit mag niet! God!?' Ze heeft geroepen, hardop.

Tegen de ochtend is ze even in slaap gevallen, maar om zeven uur is ze weer wakker.

'Griep, denk ik,' heeft ze gezegd toen ze zich ziek meldde. Nu staat ze onder de douche. Ze blijft lang staan. Net zo lang tot haar tranen op zijn. Dan droogt ze zich af en kleedt zich aan.

Wanneer ook Ruben aangekleed en gevoed is, begint het wachten. Wanneer komt hij? Waar is hij geweest? Hoe verloopt het gesprek? En dan? Wat verwacht hij van haar? Hoe moeten ze verder? Ze kunnen toch niet samen verder, of toch wel?

Moet ze zeggen dat ze het al weet? En dan? Is er een oplossing? Kunnen ze er samen misschien toch mee verder? Ze houdt toch van hem? Ze wil hem niet kwijt. Er moet toch een oplossing zijn. Als ze er maar samen over kunnen praten. Ze wil hem helpen, maar hoe dan ...

De gedachten fladderen door haar hoofd. Ze loopt maar wat door de kamer. Pakt Ruben uit de box, loopt met hem rond en zet hem weer terug. Maar dat bevalt hem niet en hij begint te huilen.

'Ssst, stil maar, jochie.' Ze pakt hem weer op en loopt met hem door de kamer. Heen en weer, heen en weer. Ten slotte valt hij in slaap. Ze loopt de trap op en legt hem voorzichtig in zijn bedje.

Beneden loopt ze weer. Heen en weer, heen en weer.

Wanneer de sleutel in het slot wordt omgedraaid, blijft ze staan, midden in de kamer. Ze kijkt strak naar de deur. Gespannen als bij hun eerste afspraakje.

Ed komt binnen. Hij ziet wit, maar hij is rustig. Hij geeft haar een licht kusje op haar wang.

'Hoi, leuk weekend gehad? Heb je toevallig nog koffie? Of zal ik even zetten?'

Hij gooit zijn jas over een stoel en loopt al naar de keuken.

Mieke weet niet wat ze moet doen. Alles heeft ze verwacht, maar dit niet. Zo niet.

Ze loopt achter hem aan naar de keuken.

'Ed, waar ben je geweest dit weekend?'

'In het ziekenhuis.'

'Waar heb je geslapen?'

'Ook in het ziekenhuis.'

'Hoe bedoel je: in het ziekenhuis?'

Hij zet de koffiebus neer, druk het knopje van het koffieapparaat in en draait zich om.

'Mieke, we moeten praten. Ik moet je wat zeggen.'

Ze kijkt hem aan en wacht.

'Mieke, het gaat zo niet meer. Dat weet jij ook. Het loopt niet meer tussen ons. We zijn uit elkaar gegroeid. Ik heb een kamer in het ziekenhuis, zo'n zusterflatje, je weet wel. Ik denk dat het goed is een poosje apart te gaan en dan over een tijdje te kijken wat we nou willen ...'

'Waarom, Ed, waarom wil je dit? Kijken wat we willen, zeg je. Ik weet wel wat ik wil! Gewoon, een gezin zijn met jou en Ruben. Samen in dit huis! Jij bent degene die blijkbaar iets anders wil. Wat wil je, Ed? Zeg het dan gewoon.'

'Ik zeg je al, Mieke, ik heb rust nodig, rust en tijd! Geef me die.'

Ze kijken elkaar aan. Mieke ziet de wanhoop, de pijn in zijn ogen. Ze wil hem troosten, vasthouden. Ze slaat haar armen om zijn nek. 'Ed, oh Ed, blijf toch bij me, doe dit niet ...'

Even houdt hij haar ook vast, trekt haar dicht tegen zich aan. Dan maakt hij zich los.

'Het is echt beter zo, Miek, ik kan niet anders. Laat me nou maar.'

Ze pakt hem weer vast, aan zijn arm.

'Ed, wees eerlijk, vertel het me, laten we samen proberen eruit te komen.'

Opnieuw maakt hij zich van haar los.

'Er is niets te vertellen! Laat me gaan. Ik pak boven even wat kleren. Toe, geef me een week; dan praten we weer. Dit moet echt zo, Mieke.'

Ze loopt achter hem aan de keuken uit, maar onder aan de trap blijft ze staan. Ze hoort hem in de slaapkamer; de kast opendoen en even later weer dicht. Dan hoort ze hem rommelen in de badkamer; ook die deur gaat even later dicht. Dan blijft het stil. Zachtjes loopt ze de trap op. Er staat een volgepakte sporttas op de overloop.

De deur van Rubens kamertje staat halfopen. Ze ziet hem staan, gebogen over het bedje.

Zacht gaat ze terug, de trap af. Beneden in de gang blijft ze staan.

Het duurt minuten lang. Dan komt hij de trap af. De tas in zijn hand. Ze staan weer tegenover elkaar. Hij huilt.

Dan laat hij de tas vallen en slaat zijn armen om haar heen. Hij klemt haar zo hard tegen zich aan dat hij haar pijn doet. Maar dat geeft niet; de pijn van binnen is toch veel groter.

Ze voelt zijn tranen in haar nek druppen.

'Mieke, ik houd zo van jullie ...'

Ze wringt zich los, pakt hem bij zijn schouders, schudt hem heen en weer. Ze huilt nu ook.

'Vertel het me dan, verdorie, Ed, zeg het dan.'

Maar hij bukt, pakt zijn tas en doet de voordeur open.

Ze leunt met haar rug tegen de muur, zakt langzaam onderuit, totdat ze zit.

Ze kijkt niet meer, maar hoort de deur dichtvallen.

Dan laat ze zich voorover vallen, slaat met haar vuisten op de grond en schreeuwt het uit.

'Lafaard, loop niet weg. Zeg het me dan, zeg het me dan ...'
Na een poos staat ze op. Haar knokkels van haar handen schrijnen. Boven hoort ze Ruben. Ze moet door, voor hem, alleen voor hem.

De rest van de dag gaat ze als een robot door het huis. Ze verzorgt Ruben, zet koffie, eet een boterham, maar zit verder stil op de bank. De telefoon gaat een paar keer, maar ze neemt niet op, en wanneer er later aan de deur gebeld wordt, doet ze niet open.
's Avonds zit ze tot half een in de donkere kamer. Stil, alleen met haar gedachten. Dan gaat ze naar boven. In het donker kleedt ze zich uit en gaat op bed liggen.
Haar hand gaat naar de lege plek naast zich. Pas dan komen haar tranen weer. De werkelijkheid lijkt tot haar door te dringen.
Ed is weggegaan. Voor een week? Ze weet wel beter. Hij komt niet meer terug. Nooit meer! Ze voelt woede in zich opkomen. Waarom is hij niet eerlijk? zegt hij niet gewoon dat hij liever een man heeft dan haar? Want zo is het toch?
Waarom is hij met haar getrouwd?
De woorden van Emma komen weer bij haar boven: 'Dankzij die God van pa zitten Ed en jij nou met de ellende ...'
Is dat waar? Is het de schuld van God?
Nee, ze weet, dat die redenering niet klopt. Wiens schuld is het dan? Van pa Smit? Heeft hij Ed in een bepaalde richting gedreven? Maar waarom is Ed zo? Toch de schuld van God? Of is Ed zelf verantwoordelijk? Als hij homoseksuele gevoelens had, waarom is hij dan met haar getrouwd? Dacht hij dat het wel over zou gaan als hij met een vrouw samenleefde? Of was het angst voor zijn vader? Dus toch de schuld van zijn vader? Maar waar is God in dit geheel? Ze heeft God gedankt voor Ed. Ze heeft zich biddend voorbereid op haar huwelijk. Heeft God haar er gewoon in laten lopen? Of heeft Ed dat gedaan? Of is ze misschien zelf naïef, en heeft ze de signalen niet opgemerkt? Nee, ze weet dat dat niet waar is. Nooit heeft ze tijdens hun verkeringstijd en eerste huwelijksjaar hier enig idee van gehad. En hoe kan dat? Kun je als man eigenlijk naar een man verlangen en tegelijk toch met een vrouw samenleven, juist op sek-

sueel gebied? Ze begrijpt het niet. Zou zij met een vrouw kunnen ... Nee, nooit!

Ze komt er niet uit. Ze draait zich om en om in bed. Ten slotte gaat ze eruit. Op de tast vindt ze beneden een fles port. Ze trekt de kurk eraf en zet de fles aan haar mond. Ze neemt en paar grote slokken. Vies, die fles aan haar mond? Voor wie vies? Ze woont toch alleen in dit huis. Het is haar fles, haar huis! Ze neemt nog een paar slokken. Het smaakt niet, maar ze wil slapen en niet meer denken!

Wanneer ze even later weer in bed ligt, is ze misselijk. Maar ook suf in haar hoofd, en dat is goed! Niet meer denken, slapen!

De volgende morgen wordt ze beroerd wakker. Ze kijkt op de wekker: half negen al. Tegelijkertijd hoort ze het geluid waarvan ze wakker is geworden: Ruben, die krijst!

Meteen is ze haar bed uit en holt naar zijn kamertje. Hij zit rechtop in bed en huilt met grote uithalen. Zijn gezichtje is rood en zit helemaal onder het snot.

'Ach schatje!' Ze tilt hem op. 'Huil jij al zo'n poos en hoort mamma jou helemaal niet?'

Ze loopt de trap af met het nog nasnikkende ventje in haar armen.

'Kom, we gaan gauw een lekkere papfles voor jou maken, hoor.'

Het eerste wat ze ziet beneden, is de open portfles op tafel.

'Nee,' denkt ze 'zo kan het niet.'

Ruben is er nog. Hij heeft hier al helemaal niet om gevraagd. Dat maakt haar opeens helder. En tegelijk rustiger dan ze dagen geweest is. Ze weet niet hoe het verder moet, maar Ruben gaat voor alles. En verder moet ze nadenken, vooral nadenken ...

Wat moet ze vertellen tegen maatje, haar moeder, Emma en al die andere mensen om haar heen? Moet ze vertellen dat Ed weg is, of toch niet? Eerst die week afwachten? Ja, wachten, maar waarop? Ze krijgt het niet op een rijtje. Als ze maar niet zo'n hoofdpijn had!

Wacht, daar kan ze iets aan doen. Eerst iets innemen. Dat nadenken komt later wel!

Tegen de avond is ze doodmoe. Maar het is haar gelukt vandaag! Ruben is niks tekortgekomen. Ze heeft zelfs met hem gespeeld en voor hem gezongen! Toen maatje belde, heeft ze het klaargespeeld rustig te vertellen dat het heel gezellig was bij Emma en Jan, en dat hier thuis ook alles goed gaat. 'Ja, Ed is nu aan het werk. Goed, ik zal de groeten overbrengen.'

Marleen, haar collega, heeft ook gebeld. 'Nee, nog niet echt. Buikgriep denk ik. Als je het niet erg vindt, leg ik gauw weer neer. Ik blijf naar de wc rennen ...'

Haar moeder was wat moeilijker te overtuigen. Dus heeft ze het ook bij haar maar op de buikgriep gegooid. 'Nee, mam, kom maar niet. Het is zo besmettelijk! Ik red me best! Nee, verder gaat het echt allemaal wel goed. Maar ik bel weer gauw.'

Om negen uur 's avonds gaat weer de telefoon. Mieke zit op de bank. De tv staat aan, maar ze ziet niks van de beelden. Ze schrikt op van het geluid van de telefoon. Wat zal ze doen, pakken of maar laten gaan? Ze besluit tot het laatste. Ze telt: achttien keer gaat hij over. Dan is het stil. Even, maar dan begint hij opnieuw. Ze stopt haar vingers in haar oren, laat hem weer bellen tot hij vanzelf stopt. Maar wanneer het geluid dan opnieuw begint, pakt ze hem op: 'Mieke Smit.'

'Mieke, met Emma, waar zat je toch?'

'Gewoon, hier ...'

'Hoe gaat het? Is Ed thuis?'

'Nee, hij is in het ziekenhuis.' Zelfs tegen Emma kan ze het niet zeggen. Als ze het uitspreekt, zal het zo definitief zijn.

'Gaat het wel met je? Heb je al met Ed gepraat?'

'Nee, nog niet. Ik moet er eerst zelf nog over denken.'

'Niet te lang uitstellen, Mieke! Maar gaat het echt wel? Je klinkt zo ... zo anders.'

'Ik heb hoofdpijn, maar ik red het echt wel. Bedankt, Emma. Ik bel je als er iets bijzonders is.'

Ze zet de tv uit, doet alle lichten uit en gaat naar boven. Zachtjes doet ze de deur van Rubens kamertje open en gaat naar binnen. Heel lang staat ze in het donker over hem heen gebogen. Hij slaapt. Zijn zachte, snelle ademhaling vertedert haar, zoals altijd, maar brengt nu opeens ook grote woede en onmacht in haar omhoog.

'Mijn kind, ons kind! En kijk eens naar je vader! Wat moet ik je vertellen als je groot bent? Of hoef ik je niets te vertellen? Merk je het vanzelf al gauw? Je vader heeft liever een man dan mij! Het is niet eerlijk! Het is niet eerlijk!'

Ze beseft opeens dat niet alleen zij een last te dragen krijgt, maar ook haar kind.

Ze gaat zacht de babykamer uit en loopt naar haar eigen slaapkamer. Ze schopt haar schoenen uit, zo hard ze kan. Eén klapt er tegen de muur, de ander schiet omhoog en raakt een potje crème bij de spiegel. Samen vallen ze op de grond.

Mieke laat zich voorover op het bed vallen. Ze slaat met haar vuisten op het kussen. Ze huilt, ze kermt het uit. Het kan niet, het mag niet waar zijn! Ze wil het niet!

'Ed. Ed, het is niet waar!

Ik haat je, oh, ik haat je! Waarom heb je niet aan mij gedacht, en alleen aan jezelf? Hoe kon je met me samenleven, hoe kon je met me vrijen? Ben je ooit oprecht geweest? Is alles dan een leugen tussen ons geweest? Hoe moet ik verder, o God, hoe moet ik toch verder ...'

Wanneer haar tranen op zijn, ligt ze op haar rug. Ze heeft het dekbed over zich heen getrokken. Ze moet nadenken, ja, ze moet over zo veel dingen nadenken.

Hoe moet het verder? Ze kan daar niet goed over denken. De toekomst begint morgen en is een groot zwart gat. Steeds gaan haar gedachten terug. De jaren die Ed en zij samen waren.

Ze heeft zo veel vragen die ze nooit zal kunnen stellen en waar ze dus nooit een antwoord op zal krijgen.

Hoe kon Ed ooit met haar trouwen, met haar vooraan in de kerk neerknielen voor God? Was alles een grote leugen? Hoe kon hij seks met haar hebben? Hield hij haar wel in zijn armen of dacht hij aan een man?

Nee! Die gedachte wil ze niet toelaten, maar toch komt dat steeds weer bij haar boven. Ze voelt zich bedrogen, gebruikt, vies. Ze begrijpt het niet.

Boos en eindeloos diep gekwetst ligt ze uren in het donker te staren; de ene herinnering na de andere komt bovendrijven.

De eerste paar jaar is het echt goed geweest tussen hen; dat weet ze zeker. Wanneer is het dan begonnen, die verandering, die verwijdering?

Opeens weet ze het: die vakantie twee jaar geleden, die jongen, Dario, met wie hij ging biljarten. Ze schiet rechtop in bed. Natuurlijk! Dario ... Voelde hij zich aangetrokken tot die jongen? Zou hij toen voor het eerst gemerkt hebben dat hij zich tot een man aangetrokken voelde? Daarvoor nooit? Ontdekte hij het pas toen hij dus al met haar getrouwd was? Ach nee, ze weet wel beter. Als ze eerlijk terugkijkt, weet ze dat er in hun verkeringstijd al zulke momenten zijn geweest. En de uitspraak van haar schoonvader bij de geboorte van Ruben schiet haar opeens weer te binnen: 'Ed, dat ik dit meemaak, een kind van jou ...'

Toen dacht ze dat hij blij was dat op zijn oude dag mee te maken; nu krijgen die woorden opeens een andere lading. Pa Smit heeft het geweten! Daarom werd ze zo enthousiast binnengehaald toen ze net verkering kregen! En maatje? Haar woorden van vorige week? Weet of vermoedt maatje het ook? En Emma? Emma was ook niet verbaasd. Wist de hele wereld het dan behalve zij? Hebben ze haar er gewoon in laten lopen met z'n allen?

Ze laat zich weer achterover vallen. Ze rilt over haar hele lichaam. Haar hoofd bonst. Ze wordt gek! Gek van al die gedachten

Ze staat op en gaat naar de badkamer. In de spiegel kijkt ze zichzelf aan. Een wit gezicht, met daarin grote ogen, waar zo veel woede en haat in te lezen staat dat het haar bang maakt.

Nee, zo niet, zo moet het niet.

Ze drinkt een glas water. Dan gaat ze terug naar haar slaapkamer en kleedt zich uit. Wanneer ze weer in bed ligt, is de woede uit haar weggegleden. Verdriet en wanhoop vullen haar hoofd en hart. Ze glijdt weer uit bed en knielt ervoor neer.

'God, oh God, help me toch.'

Meer woorden heeft ze niet. Ze huilt. Na een poos schrikt ze wakker.

Stijf en koud hangt ze geknield over het bed. Rillend kruipt ze onder haar dekbed. De slaap komt niet meer. Warmte en troost ook niet. Om half zeven staat ze op en gaat heel lang onder de warme douche staan. Ze moet het alleen opknappen. Oké, dan zal ze dat doen! Maar dan ook op haar manier!

Ze is nog maar net beneden met Ruben, of er wordt gebeld. Wanneer ze de deur opendoet, stapt haar moeder binnen.
'Mam! Is er iets? Het is nauwelijks acht uur.'
'Dat kom ik nou net aan jou vragen. Moet je naar school of ben je nog niet beter?'
'Niet beter?'
'Je hebt toch buikgriep?'
'Oh, ja nou dat gaat wel weer. Maar ik hoef vandaag niet te werken. Dus kom binnen.'
Ze hoort zelf hoe stroef het klinkt. En wanneer ze de deur achter haar moeder heeft dichtgedaan en zich omdraait, ziet ze in een flits haar gezicht in de gangspiegel. Dan weet ze dat ze haar moeder niet voor de gek zal kunnen houden. Goed, dan maar meteen het mes erin! Maar ... op haar manier! Terwijl ze in de keuken koffie zet, geeft haar moeder Ruben zijn pap. Later zit hij in de box en schenkt Mieke koffie in.
'Heb jij al ontbeten?'
'Dit is mijn ontbijt.'
Haar moeder zet haar beker neer.
'Miek, wil je erover praten? Is Ed trouwens al weg? Anders wil je mis-schien liever later praten, wanneer hij werken is?'
Mieke heeft ook haar beker neergezet. De koffie klotst over de rand, zo hard zet ze hem op tafel.
'Ed is al weg, al drie dagen zelfs. En ik denk niet dat hij nog terugkomt.'
Ze hoort zelf hoe hard, hoe bitter haar stem klinkt. Maar dat is goed. Dit wordt haar manier!
'Mieke?'
Dan gaat ze toch huilen.
'Ik snap het ook allemaal niet, maar hij wil even afstand nemen, zegt hij.

Het gaat gewoon niet meer tussen ons.'

'Even afstand nemen? Wat is dat nou? Is er toch een ander, Mieke?'

Ze schudt haar hoofd.

'Nee, maar hij houdt gewoon niet meer van me; het is gewoon over.'

'Maar ik begrijp het niet! Je zei pas dat het beter ging, en afgelopen weekend zijn jullie nog samen weggeweest. Ik bedoel, ik snap er hele-maal niks van Miek! Wat is er precies gebeurd dan? Vertel het me alsje-blieft.'

'Er valt niks te vertellen. Ik ben trouwens alleen met Ruben weggeweest dit weekend. En ik snap het zelf ook niet, maar het is gewoon zo. Ed wil weg bij me! Ik wil er nu liever niet meer over praten, als je het niet erg vindt. Ik moet er eerst zelf nog over denken en met Ed over praten. Laat me nu maar.'

'Jullie moeten hulp zoeken, Mieke, niet zo maar opgeven.'

Ze zitten een poosje stil bij elkaar. Ze voelt haar moeders arm om zich heen. Ze snuit haar neus. Ze wil niet huilen. En ze wil zeker dat ene, dat vreselijke niet uitspreken tegen haar moeder. Want dan is het definitief. Misschien, heel misschien is het nu niet waar. Zolang Ed het niet bevestigt, is het gewoon niet waar.

Later op de ochtend doet haar moeder met Ruben in de wagen wat boodschappen, terwijl ze zelf een poosje op de bank is gaan liggen. Ze is zo vreselijk moe.

Wanneer ze daarna nog een keer koffie drinken, probeert moeder nog eens het gesprek op gang te krijgen.

'Mieke, we hebben toch al eerder gepraat hierover. Het kan je zo opluch-ten de dingen met iemand te delen. Wil je het toch niet proberen?'

'Nee, mam, laat me alsjeblieft. Ik moet eerst weer met Ed praten. Ik kan het nu echt niet. Het spijt me, maar het is echt het beste zo. Als ik wil praten, bel ik je echt.'

'Zal ik bij je blijven?'

'Nee, echt niet! Dat is heus niet nodig. Ik red me best.'

'Zal ik Ruben een paar dagen meenemen dan? Dan kun je wat rust nemen.'

'Rust nemen? Hij is het probleem niet, hoor! Dat is zijn vader.'

Het klinkt weer bitter, maar dat is goed, dat is haar kracht. Waar bitter-heid en woede zit, daar is geen ruimte voor pijn en verdriet.

'Nee, Ruben blijft hier. Anders heb ik helemaal niets meer.'

'Ik bel je vanavond. Vind je dat goed? En als er eerder iets is, dan bel je meteen. Afgesproken?'

'Goed, mam, dank je wel.' Ze probeert te glimlachen wanneer ze de tra-nen in haar moeders ogen ziet bij het afscheid.

'Ik red me wel, echt.'

'Ik bid voor je, Miek.'

Dan is ze weer alleen.

Aan het begin van de avond belt Ed op.

'Mieke, ik wil vanavond met je praten. Ik kom om negen uur. Goed?'

'Ja.' Meer zegt ze niet, en ze legt meteen de telefoon neer.

Vanavond dus. Goed. Ze verlangt naar dat gesprek en is er tegelijkertijd bang voor.

Wat komt hij zeggen? Ach, dat weet ze immers al. Nee, ze wil het niet horen, het mag niet waar zijn! Zolang hij het zelf niet zegt, is het niet zo. Ze heeft zich vreselijk vergist. En Emma weet er ook niks van! Ed is over-spannen. Ed is overwerkt. Ed is in de war. Alles mag er aan de hand zijn, maar niet dat ene, dat niet!

Het is niet waar!!!

Kwart voor negen gaat de telefoon. Ze schrikt, pakt hem snel.

'Goedenavond, met Bert de Groot, jullie wijkouderling. Ik wil graag een afspraak maken voor een huisbezoek. Zou dat deze week of volgende week een keer uitkomen?'

'Nou, eigenlijk niet echt. We zijn erg druk deze maand.'

Ze schiet bijna in een nerveuze lach. En tegelijkertijd voelt ze tranen in haar ogen prikken.

Het is even stil.

'Mieke, we zien jullie zo weinig in de kerk de laatste tijd. Gaat het wel goed? Zou het juist niet goed zijn eens een gesprek te hebben? Misschien zijn er dingen waar jullie over willen praten, kunnen er dingen uit de weg geruimd worden zodat we elkaar weer vaker gaan ontmoeten?'

Nu blijft Mieke stil.

'Ja, nee, ik bedoel, nu echt even niet. Misschien in het nieuwe jaar.'

'Dan bel ik in januari weer, mag dat?'

'Afgesproken.'

Ze heeft al neergelegd, want ze hoort een sleutel in het slot van de voordeur.

Ed!

Wat aarzelend komt hij binnen. Alsof hij onverwacht op visite komt en zich afvraagt of hij gelegen komt.

Wanneer ze hem ziet, komt al haar boosheid weer omhoog. En dat is goed. Dan is ze sterk.

'Nou, sta daar niet zo. Doe je jas uit.'

Hij loopt terug de gang in en hang zijn jas aan de kapstok.

Dan staan ze onwennig tegenover elkaar.

Hij ziet er slecht uit. Heel bleek, met donkere kringen onder zijn ogen.

Ze voelt haar boosheid een beetje wegzakken.

'Wil je iets drinken?'

Hij is nu al op bezoek, hij woont hier niet meer. Ze voelt het.

Hij schudt het hoofd. 'Nee, dank je.'

Hij gaat zitten. Niet op zijn eigen vertrouwde plekje op de grote stoel, maar op een puntje van de bank.

'Hoe is het met Ruben? Slaapt al natuurlijk?'

Ze ziet de liefde en het verdriet op zijn gezicht, maar ze wil ze niet zien. Het is toch zijn eigen schuld? Hij kan Ruben elke dag zien, gewoon hier bij haar.

'Ja natuurlijk slaapt hij.'

'Mag ik even bij hem kijken?'

Een bezoeker.

Ze knikt. Wanneer hij opstaat om naar boven te gaan, wil ze bijna zeggen: 'Eerste deur rechts'.

Hij blijft lang boven.

Ze loopt een beetje heen en weer. Er ligt een steen op haar maag.

Dan is hij weer in de kamer. Ze ziet dat hij heeft gehuild. 'Natuurlijk,' hoont het binnenin haar, 'homo's zijn gevoelige mensen'.

Nee! Het is niet waar, het kan niet waar zijn.

Ze klemt haar tanden op elkaar. Geen medelijden! Geen liefde! Boosheid wil ze voelen, woede! Anders kan ze niet praten.

'Mieke ...'

'Ed, waarom laat je ons alleen? Kun je niet terugkomen? We kunnen toch hulp zoeken, Ed! Zeg toch dat het niet waar is. Zeg toch dat je van me houdt!'

Hij kijkt haar aan.

'Mieke, ik weet dat het vreemd klinkt. Ik houd van je, maar ... ik kan niet verder meer met je. Het spijt me zo, het spijt me zo vreselijk! Ik heb het geprobeerd, echt waar, maar het lukt niet meer. Maar ik houd van je, Miek, dat moet je geloven.'

'Ik houd van je! Ja, dat heb ik gemerkt.'

'Je begrijpt het niet, Mieke. Ik moet je iets vertellen, ik ...'

'Nee!' Ze laat hem niet uitspreken. 'Nee! Ik wil het niet horen! Ed, zeg het niet.'

Hij kijkt haar zwijgend aan.

'Je wist het al, hè? Ach Mieke, ik vind het zo erg. Maar ik kan zo niet doorgaan. Ik moet weg, alleen zijn. Ik heb je geen verdriet willen doen. Ik dacht dat het weg zou gaan als we getrouwd zouden zijn, ik voelde ...'

Weer valt ze hem in de rede.

'Ik wil het niet weten! Ik begrijp het heel goed. Veel beter dan jij denkt. Als je van me hield, was je niet met me getrouwd, had je geen kind op de wereld gezet.'

Ze is gaan staan, ze hoort zichzelf schreeuwen. Is zij dit? Ja, zo moet het, dit is haar manier. Anders zal ze gaan huilen, hem smeken bij haar te blijven, zal ze ten onder gaan.

Ze ziet hoe zijn schouders zakken.

'Het is helemaal mijn schuld. Ik zal voor jou en Ruben zorgen; financieel zal ik alles voor jullie doen. En laat me alsjeblieft af en toe voor hem zorgen ...'

Ze ziet weer tranen in zijn ogen. Hij mag huilen. Zij niet, zij moet sterk zijn.

'Denk je dat ik hiervoor gekozen heb? Laat het me alsjeblieft uitleggen, laten we erover praten.'

'Nee, nu niet meer. Ik heb je zo vaak gevraagd wat er was. Je zo vaak gevraagd me deelgenoot te maken van wat je kwelde. Maar je wees me af. Misschien waren we er samen op een of andere manier uit gekomen. Nu is het te laat. Het heeft immers geen zin meer. Of overweeg je terug te komen?'

Hij schudt zijn hoofd. 'Nee, ik kan het niet meer.'

Ze voelt zich rustig worden.

'Ik wil hier niets meer over horen, Ed. Tenzij je je bedenkt. Anders kun je je spullen ophalen, en wat er verder nog te regelen is, kun je schriftelijk doen. Ik zal een advocaat zoeken om de scheiding te regelen.'

'Moet het zo, Miek?'

'Ja, jij wilt dit. Dan kan het alleen zo.'

Dan staan ze tegenover elkaar in de gang bij de voordeur. Kijken elkaar aan. Opeens slaat ze haar armen om zijn nek. Ze klampt zich aan hem vast. Dan huilen ze allebei.

'Ed, zeg toch dat het niet waar is! Ed! Ik houd toch van je.'

Voorzichtig maakt hij zich los uit haar omhelzing.

'Ach, meisje.'

Haar armen vallen langs haar lichaam naar beneden. Dan gaat de voordeur open en ook weer dicht. Ze blijft staan, haar rug tegen de muur.

'Ik hou toch van je ... Ed?'

Ze staat daar totdat haar tranen op zijn. Totdat ze stijf en koud is. Zo koud als ze nog nooit geweest is.

In de verte gaat de telefoon. Ze beweegt zich niet. Het wordt weer stil.

Eindelijk komt ze in beweging. Houterig loopt ze de trap op. Ze kleedt zich uit en gaat onder haar dekbed liggen. Heel langzaam wordt haar lichaam warmer. Maar van binnen blijft het koud.

Ze staart in het donker van de nacht. Zonder duidelijke gedachten. Er fladdert van alles door haar hoofd. Beelden van vroeger, toen ze Ed net kende, beelden uit haar kindertijd, beelden van de toekomst. Alles is wazig. Ze huilt niet meer. Heel langzaam krijgen haar gedachten vorm. Ze is heel rustig. Ja, zo moet het.

Na een paar uur staat ze op. Ze trekt haar badjas aan en loopt naar de computerkamer. Ze zet de computer aan en gaat naar Word. Twee brieven schrijft ze. De eerste is voor Ed. Kil en met droge ogen zet ze op het scherm wat haar mond niet zeggen kon. Al haar boosheid en pijn, alle verwijten, al haar onbegrip en woede. Terugslaan wil ze, haar verdriet terugbrengen bij Ed.

De tweede brief is voor school. In zakelijke woorden schrijft ze dat haar huwelijk voorbij is, dat ze zich emotioneel niet in staat voelt voorlopig te werken en dat ze zich bij deze dus ziek wil melden. Ook hierbij weet ze dat ze de woorden niet zal kunnen zeggen zonder zo'n grote emotie dat het haar helemaal stuk zal maken. Daarom moet het zo.

Zonder de beide brieven nog na te lezen drukt ze ze af. Zacht gaat ze naar beneden, zoekt enveloppen en postzegels op en maakt de brieven verzendklaar. Even aarzelt ze. Wat voor adres moet er op de brief voor Ed? Het adres van het ziekenhuis maar; dat zal wel aankomen.

Dan gaat ze naar boven en trekt een joggingpak aan. Weer beneden doet ze schoenen en jas aan en stapt de voordeur uit. Buiten is het doodstil. Ze loopt de straat uit naar de brievenbus. Zonder enige aarzeling laat ze beide brieven in de bus glijden en loopt terug naar huis.

Wanneer ze weer binnen is, kijkt ze op haar horloge: tien voor drie. Wat nu? Slaap heeft ze niet. Eigenlijk voelt ze helemaal niets, alleen die kilte en grote stilte binnenin zich.

Aarzelend pakt ze de portfles. Alleen vandaag dan nog? Morgen begint haar nieuwe leven. Een leven zonder zwakte, zonder warmte, zonder gevoel en zonder Ed.

27

Donderdagochtend belt Emma weer.
'Mieke, hoe is het?'
'Het is voorbij; Ed is weg.'
'Geen reddingspogingen meer ondernomen?'
'Nee.'
'Wil hij dat niet of jij niet?'
'Het heeft geen zin; het is over.'
'Red je het?'
'Jawel.'
'Sterkte, en laat het me weten als je me nodig hebt. Ik bel binnenkort weer.'

Op sommige ogenblikken, zoals nu bijvoorbeeld, is het heerlijk dat Emma zo zakelijk is. Mieke beseft dat gesprekken met andere mensen niet zo simpel zullen zijn. Dit was een goede oefening, denkt ze cynisch. Zo wil ze het. Zolang die veilige ijsberg in haar zit, gaat het haar ook lukken. En tegen niemand, maar dan ook niemand, zal ze 'het' vertellen.

Opnieuw gaat de telefoon. 'Mamma', weet ze.
'Waar was je gisteravond? Ik heb je geprobeerd te bellen. Ik maakte me echt ongerust.'
'Ik was al vroeg boven. Niet gehoord, denk ik.'
'Je hebt boven ook telefoon. Mieke, hoe is het met je?'
Ze slikt. 'Mamma, mamma het is voorbij. Ed is weg.'
'Weg? Wat bedoel je met 'weg'? Dat kan toch zomaar niet! Mieke, jullie moeten praten, hulp zoeken, ik weet het niet ... ach, meisje.'
'Dat heeft echt geen zin meer, mam. Hij wil ons niet meer.'
'Ik kom eraan, Miek. Over een uurtje ben ik bij je.'
Ze weet niet of ze daar blij mee is. Maar haar moeder heeft de telefoon al neergelegd.
Eigenlijk wil ze niet praten, maar ze snapt wel dat ze daar niet aan kan ontkomen. En natuurlijk zal ze toch hulp nodig hebben. Want hoe moet het verder?

Ze zei wel zo stoer tegen Ed dat ze een advocaat ging zoeken, maar ze heeft geen idee waar ze moet beginnen. En hoe moet het met het huis? Zal ze hier kunnen blijven wonen? Vast niet. Maar waar moet ze dan naartoe? Ze zal moeten praten met iemand die haar kan helpen. Haar vader, haar moeder of toch eerst weer met Ed?

Nee! Dat weet ze zeker: niet met Ed. Voor hem wil ze alleen woede blijven voelen; dat maakt alles gemakkelijker. En als ze met hem gaat praten, lukt dat niet. Dan wil ze hem vastpakken, hem smeken niet weg te gaan, van haar te houden.

Drie kwartier later staat haar moeder al voor de deur. Als Mieke open heeft gedaan en ze binnen staat, slaat ze haar armen om Mieke heen.

'Meisje toch.'

Nu dicht tegen mamma aankruipen en alles vertellen. Al haar verdriet en pijn eruit gooien. Huilen binnen die twee troostende, veilige armen. Nee, dat mag niet. Sterk wil ze zijn. En vooral dat ene niet zeggen. Ze maakt zich voorzichtig los.

'Mam, fijn dat je er bent. Er moet zo veel geregeld en bedacht worden. Ik weet echt niet waar ik moet beginnen.'

'Miek, hoe is het toch gekomen? Heb je gepraat met Ed? Is er toch een ander?'

'Nee, dat geloof ik niet. Maar mam, je weet toch, dit speelt al zo lang. Echt, het is bijna een opluchting dat er nu eindelijk duidelijkheid is. Ik wilde het niet geloven, maar Ed wilde al zo lang weg. Het ging gewoon niet meer. Hij wil me gewoon niet meer.' Dat laatste komt er toch weer bitter uit.

'Maar ik begrijp het niet! Er moet toch iets gebeurd zijn! Hij was altijd zo gek op je. Is er iets wat je me niet wilt vertellen? Is er iets geweest waardoor die verwijdering is ontstaan?'

'Bedoel je of ik soms vreemd ben gegaan of zo? Nou nee, hoor, ik moet je teleurstellen: zelfs dat niet!'

'Mieke.'

'Mam, echt, laat het nou maar zo. Het is zo lang al fout tussen ons; daar heb ik je de helft niet van verteld. En nu is het echt op; het is te laat. Er valt niks meer te lijmen. Ik wil het ook niet meer.'

Haar moeder zwijgt. Mieke ziet de tranen in haar ogen. Ze kijkt de andere kant op. Ze wil dit niet zien. Anders begint ze zelf ook. En dat mag niet.

'Ik zal koffie zetten en misschien wil je dan zo wel even een paar boodschappen voor me doen met Ruben. Ik heb me ziek gemeld, en dan vind ik het vervelend als ik iemand van school tegenkom.'

'Mieke, je zult toch begrijpen dat pappa en ik in elk geval een gesprek willen hebben met Ed?'

'Nee, dat begrijp ik niet! En ik wil dat ook niet, zeker de eerste weken niet. Laat het even rusten. Bemoei je er alsjeblieft niet mee.'

Ze voelt haar moeders ogen verwonderd naar haar kijken.

'Mieke, je bent zo hard, zo bitter. Waarom wil je niet geholpen worden?'

'Ik kán niet geholpen worden. De enige die me kan helpen, is Ed. Gewoon, door van me te houden en bij me te blijven, maar dat wil hij dus niet.'

'Houd jij nog van hem, Miek?'

Ze haalt haar schouders op.

'Wel van de man die hij was, maar niet van de Ed die hij tegenwoordig is.'

'Wie is hij nu dan? Wat is er anders, behalve dat hij blijkbaar niet meer van je houdt?'

'Ik weet het niet, hoor. Het heeft ook geen zin daarover te praten. Hij wil me gewoon niet meer; dat is in elk geval zeker! En daarom haat ik hem! Het is zijn schuld allemaal.'

Bruusk staat ze op en loopt naar de keuken.

'Koffie?'

Terwijl de koffie doorloopt, drukt ze haar hoofd tegen de koelkastdeur. Moeilijk is dit. Maar zo moet het. Sterk wil ze zijn. Haar boosheid en wrok tegenover Ed zijn sterker dan de pijn en het verdriet. En dat is goed. Zo kan ze staande blijven.

De volgende ochtend ziet Mieke, wanneer ze toevallig naar buiten kijkt, dat er een taxi vlak voor haar deur stopt. Ze ziet de chauffeur uitstappen

en het achterportier openhouden. Met enige moeite stapt er iemand uit.
maatje!

Miekes hart bonkt. Dit is wel heel ongewoon. Maatje, die een taxi neemt en zo naar haar toe komt. Terwijl ze naar de deur loopt, weet ze dat dit nog moeilijker gaat worden dan gisteren. Of toch niet misschien?

Ze wacht bij de open deur. Maatje heeft afgerekend en komt naar de deur lopen. Mieke kijkt naar haar gezicht. Kijkt ze boos? Komt ze pleiten voor haar zoon?

Ach nee. Wanneer ze binnen zitten, zakt de spanning weg uit Mieke. Maatje heeft haar omhelsd en zei alleen: 'Och kind toch.'

Nu zitten ze samen aan tafel. Maatje zit graag op een hoge stoel. Het blijft eerst even stil. Dan begint maatje te praten.

'Ed is gisteravond bij me geweest. Mieke, hij heeft me alles verteld, ook dat hij ...'

'Nee.' Mieke valt haar in de rede. 'Nee! Dat wil ik niet horen, ik wil daar niet over praten, maatje.'

Maar maatje praat gewoon verder.

'Kind, ik vind het zo erg voor je. En ik verwijt mezelf ook wel dingen. Weet je, ik ben hier vroeger wel bang voor geweest. Getwijfeld aan Ed, aan zijn geaardheid. Maar ik durfde er met pa niet over te praten. En toen hij met jou thuiskwam, toen was ik zo blij. 'Zie je wel,' dacht ik toen, 'er is niks aan de hand.' Maar nu, och kind, ik heb zo'n verdriet om jou. En ook om hem.'

'Om hem? Hij heeft het aan zichzelf te wijten. Hij is willens en wetens met mij getrouwd! Het is niet eerlijk! Nee, het is gemeen! Met hem hoeft u echt geen medelijden te hebben! Hij was er toch zelf bij?'

Maatje schudt haar hoofd. Rustig zegt ze: 'Ik begrijp dat je verdrietig en gekwetst bent, Mieke, en mijn grootste medelijden en meeleven gaan naar jou en Ruben uit. Maar toch zeker ook naar Ed. Heb je enig idee hoe moeilijk hij het hiermee heeft gehad? En nog heeft? Hoe hij gevochten heeft met zichzelf?

Hoe schuldig hij zich voelt tegenover jou, en hoe hij in de knoop zit met zijn geloof? Met God? Ik snap dat dat heel moeilijk is voor jou, Mieke, maar probeer je dat toch ook een klein beetje in te denken.'

Heftig schudt Mieke haar hoofd.

'Nee, maatje het spijt me, maar daar heb ik geen begrip voor. Nu niet meer. Honderden keren heb ik hem gevraagd wat er was, waar hij mee rond liep. Nooit wilde hij met me praten, me laten delen in zijn problemen. En dat kon hij wel gisteravond bij u? Nu kan hij opgelucht zijn; hij is van me af. Hij kan gaan leven zoals hij wil. En hij wordt nog zielig gevonden ook! Nee, ik heb geen begrip voor hem. Ik ben alleen maar vreselijk kwaad en gekwetst. Ik voel me gebruikt en bedrogen.'

Het blijft weer een hele poos stil. Mieke heeft haar hoofd gebogen; er lopen tranen stil naar beneden.

'Mieke, ik begrijp het ook niet, het waarom van deze dingen. Maar weet dat ik voor je bid. Voor jou en Ruben, en ook voor Ed. Hij is mijn kind, maar jij ook Mieke, en dat zul je, wat mij betreft, ook altijd blijven. Ik zal er voor je zijn zolang ik er nog ben. Voor jou en Ruben, maar ook voor Ed. Ik hoop dat je dat zult begrijpen.'

Ze heeft haar tranen weer gedroogd.

'Ik begrijp het, maatje. Natuurlijk, hij is uw zoon. En u bent hier altijd welkom, maar u moet ook van mij begrijpen dat ik niet meer naar u toe kom. Ik wil het risico niet lopen Ed vaker tegen te komen dan nodig is. En het spijt me, maar ik wil ook niks meer over hem horen. Hoe zielig hij is! Het is tenslotte allemaal zijn schuld. Ik heb dit niet gewild, nee zeker niet.'

Er wordt gebeld.

'Dat zal mijn taxi weer zijn.'

'Nu al? Maar u hebt nog niet eens een kopje koffie gehad. Zal ik hem wegsturen? Dan breng ik u straks toch thuis? De auto heb ik tenslotte nog.'

Maar maatje is al opgestaan en pakt haar jas.

'Nee, meisje, beter zo. Dit wilde ik je zeggen. Denk er eens rustig over na. En weet dat je toch altijd welkom bij me bent. Ik houd van je. O, die man belt alweer. Doe even open, als je wilt. Ik ben niet zo snel meer.'

Ze helpt maatje instappen en dan zwaait ze haar na terwijl de tranen over haar gezicht lopen.

'Dit neem je me dus ook nog af, Ed! Dankjewel.'

28

ANNEMARIE LOOPT DOOR DE SUPERMARKT. HET IS AL BIJNA SLUITINGSTIJD. Ze staat net bij de kassa, als ze achterom kijkend Mieke aan ziet komen. Nee hè! Die komt natuurlijk zo meteen achter haar staan en begint een gezellig praatje aan te knopen. Daar heeft ze nu helemaal geen behoefte aan, ook al heeft Mieke haar baby blijkbaar niet bij zich.

Maar op hetzelfde moment kijkt Mieke haar aan. Annemarie ziet even een blik van herkenning en dan van schrik lijkt het wel. Dan duwt Mieke haar boodschappenkar snel een andere kant op.

Annemarie kijkt weer voor zich. Pas wanneer ze door de kassa heen is en naar de uitgang loopt, kijkt ze voorzichtig achterom. Ze ziet Mieke haar boodschappen op de band zetten.

Poeh! Die ziet er slecht uit. Ach natuurlijk! Ze zal wel weer zwanger zijn! Met een klap duwt ze het boodschappenkarretje in de rij met andere karren. Ze vergeet de munt eruit te halen. Zo vlug ze kan loopt ze weg bij de winkel en stapt op de fiets.

Wegwezen hier! Ze trapt zo hard ze kan. Het regent zacht. Gelukkig, dan vallen de tranen niet op die over haar wangen lopen.

Natuurlijk! Mieke is weer zwanger! En zij? Zij gaat over een halfjaar verhuizen naar Amerika. Ver bij haar ouders, haar leuke baan en ieder die haar lief is, vandaan. Met een lege buik, naar een leeg nieuw huis. Met een man die het vooral in het begin vreselijk druk zal hebben met zijn baan.

Vlak bij huis mindert ze haar vaart. Ze ziet er tegenwoordig zelfs tegen op thuis te zijn.

Thuis bij Erik, die lief voor haar is, maar die toch ook af en toe laat merken teleurgesteld te zijn in haar. Om haar somberheid, haar gebrek aan enthousiasme voor de komende emigratie. Erik, die vol begrip voor haar is, maar die tegelijkertijd probeert te verbergen hoeveel zin hij heeft in zijn nieuwe baan, de grote uitdaging.

Over de zwangerschap die maar uitblijft, praat hij bijna niet. Ze hebben afgesproken dat ze deze maand weer naar de gynaecoloog zal gaan. De afspraak is al gemaakt, maar ze kan pas over drie weken terecht.

Wanneer ze haar fiets in de schuur zet, ziet ze dat Erik al thuis is. Ze doet de achterdeur open.

'Hé, lief! Ben je daar? Ik ben maar alvast aan het eten begonnen. Ik was lekker vroeg thuis. Zo, het regent aardig door, geloof ik, hè? Je bent kletsnat.'

Even later zitten ze samen aan tafel.

'Ik zag Mieke nog in de winkel. Ze ziet er bleekjes uit. Zeker weer zwanger. Heb jij dat soms gehoord?'

'Ikke niet! Ik spreek of zie Ed eigenlijk nooit meer. Raar is dat! Nu ik erover nadenk, ik zie hem eigenlijk ook nooit meer in de kerk. Of jij wel?'

Annemarie haalt haar schouders op.

'Niet echt op gelet eigenlijk. Hij moet natuurlijk ook vaak werken in het weekend. Maar je hebt, geloof ik, wel gelijk. Ik zie Mieke ook bijna nooit.'

'Misschien moet ik binnenkort maar weer eens bij hen langs gaan. Ik moet het toch eens met Ed over de club hebben. Als we volgend jaar ...'

Vlug werpt hij een blik op Annemarie. Haar gezicht betrekt alweer.

'Nou ja, ik bedoel, volgend seizoen zal hij toch hopelijk wel weer gaan meedraaien, en dan moet er toch ook weer naar iemand gezocht worden die mee gaat doen. Dat moet toch op tijd overlegd worden.'

Ze eten stil verder.

Het is alsof elk gesprek toch weer vanzelf terechtkomt bij hun aanstaande verhuizing.

'Als ze maar zwanger is voordat we weggaan!' denkt Erik. 'Dan wordt het vast veel gemakkelijker.'

Soms vraagt hij zich af of hij er wel goed aan heeft gedaan de baan aan te nemen. Annemarie zegt dat ze achter hem staat, dat hij het zeker moet doen. Maar hij weet dat ze er van binnen heel anders over denkt. En er vreselijk tegen opziet.

Maar ja, wat moest hij dan? 'Nee' zeggen zou ongeveer hetzelfde geweest zijn als ontslag nemen. En wat dan? Zouden ze daar gelukkiger van geworden zijn? Maar hij heeft eigenlijk gehoopt dat het vooruitzicht van de verhuizing haar in elk geval wat had afgeleid van haar verdriet en krampachtig verlangen naar een nieuwe zwangerschap. Maar daar lijkt het niet echt op. Ze is juist stiller geworden en ziet er bleek en smalletjes uit.

'Zullen we maar danken?' onderbreekt ze zijn gepieker. 'Dan kan ik de badkamer nog even doen.'

29

IN DE WEKEN DIE VOLGEN LIJKT ER WEER ENIG RITME TE KOMEN IN MIEKES leven. Na een gesprek met haar directeur is ze na een week weer aan het werk gegaan.

Hoewel het haar enerzijds vreselijk veel energie kost, voelt het anderzijds ook goed. Als ze in haar klas bezig is met de kinderen, worden haar gedachten toch even op iets anders gebracht.

Mevrouw Broeke past weer op Ruben. Ze heeft haar kort ingelicht over het vertrek van Ed. Gelukkig vroeg ze niet te veel. Maar Mieke merkt dat ze extra hartelijk is, en ze heeft Mieke op het hart gedrukt dat ze altijd een beroep op haar mag doen, ook buiten de vaste oppasdagen. Mieke is blij met haar, hoewel ze zich afvraagt of het financieel allemaal haalbaar zal blijken te zijn. Misschien moet ze toch ook haar moeder maar voor een vaste dag vragen om op te passen. Maar voorlopig laat ze het maar even zo.

De dagen waarop ze niet hoeft te werken en de avonden zit ze meestal doelloos op de bank. Ze zorgt voor Ruben en doet de meest noodzakelijke boodschappen, maar verder komt ze de deur niet uit. In de winkel is ze bang bekenden tegen te komen. Dus gaat ze meestal vlug tegen sluitingstijd; dan is het rustig.

Eén keer kwam ze Annemarie tegen. Ze is snel de andere kant op gelopen. Bang dat ze iets zou vragen of merken.

Ed heeft al een paar keer gebeld. Er moeten dingen geregeld worden, en hij mist Ruben. Maar Mieke weigert met hem te praten. Ze heeft contact gezocht met een advocaat die alles voor haar moet regelen. Maar zolang er nog geen afspraken vastliggen, laat ze Ed niet toe bij Ruben.

's Avonds gaat ze vroeg naar bed en ligt vervolgens uren wakker.

Ze wordt mager en ziet er slecht uit. Maar ze blijft op de been. Haar woede tegenover Ed houdt haar overeind.

Naar de kerk is ze niet meer geweest, en bidden kan ze niet meer.

Haar ouders, Vincent, Peter en Hanneke, allemaal zijn ze bij haar langs geweest, maar allemaal stuiten ze op een harde muur. Praten wil ze niet.

Vrienden of kennissen die langs willen komen, scheept ze per telefoon af.

'Te moe, te druk, liever nu niet,' krijgen die te horen wanneer ze bellen. Op een vrijdagmorgen staat, onaangekondigd, haar moeder weer voor de deur. Ze lijkt Miekes stugge houding niet op te merken en speelt wat met Ruben.

'Nou, Miek, een kop koffie zou ik wel lusten. Zal ik even zetten of doe jij het?'

Zonder antwoord te geven gaat Mieke naar de keuken. Ze komt pas weer binnen wanneer de koffie klaar is. Ze zet een beker voor haar moeder neer.

'Lekker! En hoe gaat het nou, Miek? Kan ik iets voor je doen? Ik wil je zo graag helpen, maar je moet dan zelf wel meewerken.'

Ze haalt haar schouders op. 'Ik zou niet weten hoe. Mijn advocaat regelt alles, en ik wacht maar af. Ik heb al geïnformeerd naar de mogelijkheden van een huurwoning, een flat of zo, voor het geval dat dit huis verkocht moet worden.'

'Heb je nog met Ed gesproken?'

'Nee.'

'Mieke, Ed is bij ons geweest. Ik wil dat niet voor je achterhouden.'

'En? Heeft hij geklaagd dat hij zo zielig is, omdat hij Ruben een tijd niet heeft gezien?'

'Miek, hij heeft alles over zichzelf verteld. Meisje, waarom heb je er niet meer met me over gepraat. Waarom sluit je je zo op in jezelf?'

'Had dat iets uitgemaakt, denk je? En nu? Hebben jullie nu ook zo'n medelijden met die zielige jongen, die er toch ook niks aan kan doen?'

'Wat praat je bitter. Natuurlijk gaat ons hart helemaal naar jou uit, en willen we er zijn voor jou, hebben we verdriet om jou. Maar dat neemt niet weg dat we ook met Ed te doen hebben. Mieke, hij heeft het vreselijk moeilijk. En wat Ruben betreft; het is ook zijn kind; je zult toch moeten accepteren dat hij hem wil zien.'

'Dat zal wel, ja. Maar nu even niet. Ruben kan niet zelf naar hem toe fietsen, en ik wil Ed echt niet zien. Wil je nog koffie?'

Ze staat op en loopt zonder antwoord af te wachten met de twee lege mokken naar de keuken.

Wanneer ze later haar moeder nakijkt, voelt ze zich ellendig. Ze weet dat ze haar ouders extra verdriet doet met haar harde houding, maar ze kan niet anders. Ze is bang zich kwetsbaar op te stellen. Bang dat ze dan instort en het helemaal niet meer aankan. Toch weet ze dat ze zo ook niet lang meer verder kan. En ze moet verder, voor Ruben. Ze moet sterk blijven, hoe dan ook. Ze wil niet vooruitkijken, niet verder dan vandaag.

Met een plof valt de post op de mat. Tussen wat drukwerkjes en rekeningen vindt ze een envelop waarop met een onbekend handschrift haar naam en adres staan. Ze draait hem om.

'Marieke' staat er achterop. Ze gaat op de bank zitten en scheurt de envelop open. Er komt een kort briefje uit.

Hoi tante Mieke
Ik hoorde natuuurlijk van mamma wat er bij jullie aan de hand is.
Ik vind het hartstikke rot; dat wil ik je even laten weten.
Het lijkt me allemaal hartstikke moeilijk voor je, maar ik moet wel steeds
denken aan die zondag toen we samen in die kerk waren.
Ik heb er niet zo veel van onthouden, maar ik weet nog wel dat hij
een paar keer zei: 'En toch, toch is God er altijd bij.'
Ik kan daar zelf niet zo veel mee, maar ik denk dat het voor jou wel
belangrijk is nu. Soms denk ik dat het toch wel fijn moet zijn om
te geloven in een God. Ik wil daar best graag nog eens met je over praten.
Veel sterkte verder.
Liefs, Marieke

Ze blijft heel lang zitten met het briefje in haar hand.

'En toch ...' Dat was het enige wat haarzelf was bijgebleven van de dienst, de laatste kerkdienst die ze heeft bijgewoond. Wat er achter dat 'en toch' kwam, wist ze zelf niet eens meer. En dan nu dit briefje van Marieke. Marieke, een kind, of eigenlijk een jonge vrouw, die nauwelijks ooit in een kerk is geweest en thuis niks heeft meegekregen van het geloof. Dit briefje zegt haar meer dan al die andere woorden van haar ouders, van maatje van wie ook in deze situatie.

Ze leest en herleest het briefje.

'... en toch is God er altijd bij ... ik denk dat het voor jou wel belangrijk is nu ...'

En dan voor het eerst sinds weken huilt ze weer. Ze gaat naar boven en laat zich op haar bed vallen.

'God! Help me! Ja, U bent erbij. Ik weet niet hoe het verder moet, maar help me alstublieft. Laat me het dan merken, als U erbij bent.'

Nog een hele poos ligt ze stil op haar bed. Haar tranen zijn op. Ze voelt zich doodmoe, maar er is een stuk rust in haar hart gekomen.

Wanneer ze later Ruben z'n fruithapje voert, voelt ze dat er iets veranderd is. Ze staat er niet meer alleen voor. Hoe het verder moet, weet ze nog steeds niet, maar toch voelt het beter.

's Avonds zit ze weer met het briefje van Marieke in haar hand. Ze leest nu pas bewust de laatste regel. 'Ik wil daar best graag nog eens met je over praten.'

Hoe komt het dat zo'n meisje zulke dingen bedenkt? Daarmee bezig is en haar, juist nu, dit schrijft?

Ze voelt het als een steuntje in haar rug van God. Ze stopt het briefje weg in een la. Later zal ze er met Marieke over praten; nu heeft ze genoeg aan zichzelf.

Maar dat hierdoor haar problemen niet bepaald zijn opgelost, merkt ze de volgende dagen wel. Misschien is het juist wel moeilijker geworden, nu ze die krampachtige harde houding los heeft gelaten. Ze heeft het gevoel twee levens te leiden.

Op school zijn haar kleuters helemaal vol van het sinterklaasfeest dat eraan komt. Er is een gezellige, vrolijke sfeer, waarin ze tot haar eigen verbazing gewoon meegaat tijdens de school-uren. Maar zo gauw ze de kinderen naar huis heeft laten gaan, stapt ze die andere wereld weer binnen.

Na schooltijd probeert ze steeds zo gauw mogelijk ook naar huis te gaan, en ze ontloopt haar collega's zoveel ze kan.

Thuis komen alle gedachten en vragen weer op haar af. Ze voelt zich schuldig tegenover Ruben. Zou hij niet voelen dat ze geen blije moeder is? Doet ze hem tekort door zo weinig met hem naar buiten te gaan? Maar buiten loop je altijd het risico mensen tegen te komen. Mensen die vragen hoe het gaat, die zeggen dat ze gerust eens mag komen praten als ze daar behoefte aan heeft.

Maar hoe weet ze of dat eerlijk gemeend is, of dat ze gewoon nieuwsgierig zijn naar het waarom en het hoe? Trouwens, ze wil helemaal niet praten, niet vertellen wat er gebeurd is, waarom Ed is weggegaan. Tegen niemand! Ze schaamt zich!

Wanneer ze thuis is, is ze bang als de telefoon gaat. Zou Ed het zijn? Wat moet ze zeggen? Wat wil God van haar? Mag ze Ed blijven weigeren Ruben te zien? Ze weet dat dat niet kan en niet mag.

Die avond belt ze maatje op. Ze heeft haar al weken niets laten horen, en toen maatje zelf een keer belde, heeft ze snel een eind aan het gesprek gemaakt.

Ze vindt het vreselijk moeilijk, maar ze weet dat het moet.

'Maatje, met Mieke. Hoe is het met u?'

'Kind! Wat ben ik blij dat je belt! Gaat het een beetje? En hoe is het met Ruben?'

'Dat gaat wel goed, hoor. Maatje, ik kom binnenkort een keer met Ruben, maar dan bel ik van tevoren wel. Is dat goed?'

'Altijd, Mieke, dat weet je. Ik ben zo blij dat je belt! Veel sterkte, en ik hoop je gauw te zien.'

'Dank u wel. Daaag.'

Ze is blij dat het achter de rug is, maar het voelt goed. Maar nu het moeilijkste nog: Ed bellen. En dat moet nu gebeuren, want als het goed is, is hij nu aan het werk en kan ze dus zijn voicemail inspreken. Haar vingers trillen terwijl ze het nummer intoetst. Stel dat hij wel zelf opneemt. Maar nee, gelukkig hoort ze de voicemailboodschap. Maar alleen al het horen van zijn stem op het bandje maakt een stroom emoties in haar los. Voordat ze het bericht helemaal heeft gehoord, heeft ze het knopje alweer ingedrukt.

Ze kan dit niet. Ed! O, ze houdt van hem, ze houdt zo van hem! En tegelijktijd is ze zo kwaad, zo vreselijk kwaad op hem! Waarom doet hij haar dit aan? Het mág niet waar zijn. Ze kan het niet! Ze ligt op de bank en huilt. Om Ed, om haar liefde die tegelijk haat is, om dat wat voorbij is en nooit meer terugkomt.

De volgende dag belt ze weer naar haar schoonmoeder.
'Maatje, wilt u tegen Ed zeggen dat hij op de dagen dat ik werk, in overleg met mevrouw Broeke, Ruben kan zien? Ik heb het er met haar over gehad. Dus dan moet hij maar even bellen als hij vrij is op maandag of dinsdag.'
'Ik zal het hem zeggen. Maar moet het zo, Miek? Kun je niet beter zelf met hem bespreken?'
'Nee, maatje, dat kan ik niet.'

De nachten zijn lang. Wanneer ze 's avonds op de bank zit, is ze doodmoe. Maar als ze dan naar bed gaat, komt de slaap niet. Gedachten die ze overdag probeert weg te duwen door haar werk of in het bezig zijn met Ruben, komen in bed toch op haar af.
Ed. Ze mist hem, ze verlangt naar hem. En daarom is ze kwaad op zichzelf. En dat maakt haar woede tegenover Ed weer groter. Zo draaien haar gedachten maar rond.
Overdag is ze moe. Zo slepen de dagen zich voort.
Emma heeft een paar keer gebeld, maar ook die gesprekken heeft ze kort gehouden. Ze heeft geen energie en ook gewoon geen zin om te praten. Want wat lost het op? Niks toch ...
Soms komt 's nachts dat ene zinnetje weer omhoog: *en toch is God er altijd bij* ...
Ze probeert te bidden, maar het is zo moeilijk. Ze voelt er zo weinig van dat God erbij is. Ze is boos geweest op God. Waarom is Ed zoals hij is? Waarom heeft God het toegelaten dat hij homoseksueel is? Waarom heeft God hem geen andere geaardheid gegeven?
Nu is die boosheid weg. Niet God, maar Ed is verantwoordelijk. Hij had toch niet met haar hoeven trouwen? Dat was zijn eigen beslissing, niet die van God.
Boos zijn op Ed is ook gemakkelijker dan boos zijn op God. Ze wil geloven dat God erbij is, haar ziet en hoort. Hoe kan ze anders verder? Van

wie kan ze anders hulp verwachten? Maar het is zo donker. En ze ervaart zo weinig van die nabijheid van God. Haar hele hart is vol van boosheid, wrok tegenover Ed.

30

Sinterklaas is voorbij. Nu is haar klas weer druk met voorbereidingen voor het kerstfeest. De kleuters zijn onrustig. Er zal een kerstspel opgevoerd worden, en daar wordt druk voor geoefend.

Mieke is zo moe. Het kost haar steeds meer moeite haar werk vol te houden. Gelukkig nog maar een paar weken. Dan begint de kerstvakantie.

Half december staat op een middag dominee Dijksman voor de deur. Mieke schrikt. Nee hè, daar heeft ze nu echt geen zin in! Maar ze kan niet anders dan hem binnen vragen en hem een kop koffie of thee aanbieden; dat begrijpt ze wel. Eigenlijk is ze al weken bang dat er iemand van de kerk aan de deur zal komen. Zelf is ze, sinds Ed weg is, niet meer naar de kerk geweest en heeft ze niet veel mensen gesproken. Maar zoiets wordt natuurlijk toch bekend. Terwijl ze in de keuken thee inschenkt, neemt ze zich voor niet al te veel te vertellen en zeker 'het' niet. Maar het gesprek loopt anders dan ze heeft gedacht.

Wanneer ze met de thee binnenkomt, zit Ruben op schoot bij dominee Dijksman. Dat geeft meteen al wat ontspanning en een gespreksonderwerp. Maar wanneer Ruben wat later rondkruipt over de vloer, zegt de predikant zonder verdere omwegen: 'Mieke, Ed is bij me geweest en heeft me alles over jullie verteld.'

'Alles?' Het komt er een beetje schamper uit.

'Ja, alles. Hij heeft zichzelf niet gespaard, Mieke. Wat is dit vreselijk moeilijk en verdrietig. Voor jou, maar ook voor hem.'

'Natuurlijk, vooral voor hem! Ik word er ziek van dat steeds maar weer van iedereen te horen. Hoe zielig het toch voor hem is. Het was zíjn keus, dominee, om te trouwen terwijl hij wist dat hij eigenlijk op mannen viel! Hoe kan iedereen dan zeggen dat het zo erg voor hem is? Die arme Ed! Natuurlijk! Ik ben met hem getrouwd omdat ik van hem hield. Ik loog niet toen ik vooraan in de kerk stond, hij wel! En kijk nu! Hier zit ik met een kind dat ik over een paar jaar moet gaan vertellen dat zijn vader een homo is! Misschien is het nog wel erfelijk ook! Hoe kunt u zeggen dat het zo zielig voor hem is ...'

Driftig veegt ze haar tranen af.

Het blijft even stil. Dan zegt dominee Dijksman rustig: 'Ik zei niet dat hij zo zielig is. En ik zei ook niet dat het vooral voor hem moeilijk is. Mieke, ik snap dat het allemaal vreselijk is voor jou. Maar ik bedoel alleen dat het ook moeilijk is voor Ed. Ik begrijp dat je je boos, gekwetst en bedrogen voelt. Het is ook heel erg wat je meemaakt. Maar toch zeg ik dat het ook voor hem heel moeilijk is. Ik heb lang met hem gesproken. Hij heeft me verteld dat hij echt van je hield en vast geloofde dat het veranderen zou als hij getrouwd zou zijn met jou. Achteraf natuurlijk naïef, maar ik geloof dat hij dat oprecht heeft gedacht. En zijn grootste verdriet is nu dat hij beseft dat hij jou en Ruben zo veel pijn moet doen. Maar ach, ik kom hier niet in de eerste plaats om over Ed te praten. Mieke, ik ben hier voor jou. Ik wil proberen voor jou een steun te zijn. En ik hoop zo dat vooral God jou, juist nu, tot steun kan zijn. Hoe gaat het met je? Ervaar je hulp van God en van mensen, en wil je die ook aannemen? Kun je dat?'

Wanneer ze geen antwoord geeft, gaat hij verder: 'Ik moet je eerlijk zeggen dat ik zo'n situatie nog nooit van dichtbij heb meegemaakt. Ja, wel echtscheidingen, maar nog nooit om deze reden. Ik vind het zelf ook heel moeilijk, Mieke. Ik zit, denk ik, met een heleboel zelfde waarom-vragen als jij ...'

Deze laatste woorden doen Mieke goed. Ze zat al klaar om in verweer te gaan, als hij was gaan praten over het aanvaarden en overgeven aan God. Maar nu heeft hij haar hart geraakt. Door gewoon naast haar te gaan staan in al haar vragen. En nu gaat ze vertellen. Al haar boosheid, haar verdriet en zeker ook haar vragen. Voor nu en de toekomst.

Hij laat haar praten. Pasklare antwoorden heeft hij niet, maar die verwacht ze ook niet. Zelfs haar intense woede tegenover Ed probeert hij niet uit haar hoofd te praten.

Wanneer het stil is geworden, vraagt hij alleen: 'Zullen we samen bidden?'

En dat is goed.

Wanneer hij is weggegaan en Ruben in zijn bedje ligt, denkt Mieke nog een poos na over het bezoek. Het was goed. Eindelijk heeft ze haar hart eens kunnen en durven uitstorten. Ze voelt zich ook getroost. Aan de woorden, dat het ook voor Ed moeilijk is, wil ze niet meer denken. Het is en blijft zijn schuld.

Op een dag brengt de post een briefje van Ed.

Lieve Mieke,
Kunnen we niet op een normale manier praten over het hoe en wanneer ik Ruben kan zien. Zo via mevrouw Broeke voel ik me bepaald een soort bedelaar.
Ook zou ik erg graag over de andere dingen met je praten. Mieke, ik vind het zo vreselijk dat ik je zo veel verdriet doe. Ik hoop dat je me ooit kunt vergeven.
Er is veel wat ik je wil zeggen en wil proberen uit te leggen.
Ook moeten we over praktische dingen praten. Ik zou dat graag persoonlijk doen, en niet allemaal via je advocaat.
Ik hoop dat je me belt.
Ed

Het lezen van het briefje brengt zo veel emoties in haar naar boven dat ze zelf van schrikt. Ze kan dit niet! En ze wil het ook niet. Makkelijk ja: wil je me vergeven! Hoe kan ze dat ooit! Ze maakt een prop van het briefje en smijt het in de prullenbak. De hele dag blijft het door haar hoofd malen. Ze wordt er gek van! De andere dag schrijft ze een briefje terug.

Ed, je kunt Ruben elke dag zien en mij elke dag spreken.
Wij zijn niet weggegaan!
Mieke

Daarop hoort ze niets meer.

De volgende zondagochtend gaat ze naar de kerk. Wanneer ze Ruben naar de crèche heeft gebracht en zelf de kerk in loopt, bonkt haar hart in haar keel. Ze heeft het gevoel dat iedereen naar haar kijkt. Ze hoort niks van de preek, en wanneer de kerk uitgaat, vlucht ze bijna weg. Wanneer ze Ruben ophaalt, heeft ze ook daar het gevoel dat iedereen meewarig naar haar kijkt. Of lachen ze haar uit, bespotten ze haar? 'Daar heb je Mieke Smit, je weet wel, haar man is ervandoor. En weet je waarom? Hij blijkt homoseksueel te zijn ...'

Wanneer ze met Ruben naar huis rijdt, stromen de tranen over haar wangen. Dit doet ze dus voorlopig niet meer. Echt niet! Misschien moet ze gewoon zo snel mogelijk gaan verhuizen naar een andere plaats. Ergens waar niemand haar kent en niks van haar weet. Waar ze gewoon een gescheiden vrouw met een kind is, zoals er zo veel zijn.

31

ANNEMARIE LOOPT MAAR DOOR. DE ENE STRAAT UIT DE VOLGENDE STRAAT in. Vanmiddag zat ze in de spreekkamer van de gynaecoloog. Op het puntje van haar stoel tegenover zijn bureau.

'Mevrouw De Jager?'

Over zijn leesbril heen keek hij haar aan.

'Toe nou maar, man, zeg wat je te zeggen hebt!' dacht ze.

'De laatste onderzoeken hebben weer bevestigd wat we eigenlijk al wisten. En wat dus nog steeds zo is. Alles is prima in orde met u. Niets staat een nieuwe zwangerschap in de weg. Tenminste, medisch gezien niet. Maar ik heb de indruk dat u erg gespannen bent. En dat kan, zoals ik u al eerder verteld heb, zeker wel een belemmering zijn om zwanger te worden. Het klink misschien gek, maar juist omdat u het zo graag wilt, er zo mee bezig bent, staat u zichzelf in de weg. Probeer het een beetje los te laten. Richt uw aandacht op iets anders. Kijk, garanties kan ik u nooit geven, maar ik denk dat u dan zo weer zwanger zult zijn.'

Het blijft stil. Annemarie kijkt naar haar handen, die krampachtig gevouwen op haar schoot liggen.

'Dat is gemakkelijker gezegd dan gedaan! Volgend voorjaar gaan we naar Amerika verhuizen, dus ik heb genoeg afleiding. Maar zwanger ben ik toch nog steeds niet.'

'Amerika! Zozo,dat is een hele verandering. Waar precies?'

'Chicago.'

'Zin in?'

Ze haalt haar schouders op.

'Mijn man heeft daar een baan aangeboden gekregen.'

De arts leunt naar voren. Hij kijkt haar aan.

'Chicago is een geweldige stad! Ga er wat van maken! Probeer je daar nou eens helemaal op te richten en vergeet die kinderwens nu eens even. Je bent nog jong. Verdiep je in dat nieuwe land en zijn cultuur. Ik voorspel je, als je dat doet, maar dan ook echt van harte, dat je volgend jaar een Amerikaanse kraamkliniek moet opzoeken.'

Hij is opgestaan. Annemarie ook. Bij de deur geeft hij haar een hand.

Opeens weer vormelijk zegt hij: 'Mevrouw De Jager, het allerbeste. Denk aan mijn woorden. Heb maar een beetje vertrouwen.'

Nu loopt ze buiten. Ze heeft haar auto zomaar ergens geparkeerd. Naar huis wil ze nog niet. Eerst alles een beetje op een rijtje krijgen. Dan pas kan ze Erik onder ogen komen.

Want het stormt binnenin haar. Die arts heeft gemakkelijk praten! Hij bagataliseert haar verlangen naar een kind. En ook de verhuizing naar Amerika. Alsof ze een onmondig kind is. Eigenlijk zegt hij gewoon, al is het dan met andere woorden, dat het haar eigen schuld is dat ze nog niet zwanger is. Een Amerikaanse kraamkliniek! Een Amerikaanse gynaecoloog zal hij bedoelen! En daar moet ze al helemaal niet aan denken!

Heb maar een beetje vertrouwen! Wat koopt ze daarvoor? Vertrouwen op wie, op wat?

Al weken, ja al maanden bidt ze, roept ze naar God. Heeft dat iets geholpen? Anderen worden zwanger, maar zij niet. Ja, twee keer was ze het wel, maar daar kwam gauw een einde aan. Al haar dromen stroomden met het bloed uit haar weg.

Al lopend bemerkt ze opeens dat ze vlak bij het huis van Ed en Mieke Smit is gekomen. Bewust? Onbewust?

Vlak voor nummer 12 blijft ze staan. Hier wonen ze. Ook weer zo'n modelgezinnetje. Vader, moeder, kindje. En als ze zich niet vergist, een tweede kindje op komst.

Opeens wordt de deur vlak voor haar open gerukt.

'Wat sta je daar te doen? Waarom sta je zo te loeren? Heb je de laatste roddels al gehoord en kom je even kijken of het klopt? Nou, ik kan je gerust stellen: het klopt helemaal.'

Annemarie kijkt verschrikt naar de deur, die met een klap weer dicht gaat. Wat krijgen we nu? Is dat Mieke, die met verwrongen gezicht daar stond? Is dat Miekes stem die haar dingen toeschreeuwt die ze niet begrijpt? Wat moet ze nou? Snel weglopen? Ze kan het niet. Bijna met tegenzin loopt ze naar de voordeur toe en belt aan. Nog eens. Eindelijk gaat de deur open. Ze staan tegenover elkaar.

'Wat kom je doen?'

'Mag ik binnenkomen?'

Annemaries verdriet lijkt opeens ver weg.

Ze kijkt naar Miekes gezicht. Nee, dit is geen blije aanstaande moeder.

'Mieke, wat is er? Kan ik iets voor je doen? Ben je ziek?'

Mieke is neergezakt op de bank. Ze zegt niets.

Annemarie voelt zich een beetje staan, weet met haar houding geen raad.

'Sorry, dat ik zo tegen je stond te schreeuwen. Laat verder maar. Je begrijpt het toch niet.'

'Waar is Ed? Is hij aan't werk?'

'Nee ...'

'Nou, als je zeker weet dat je geen hulp nodig hebt, ga ik maar weer. Erik zit op me te wachten, denk ik.'

Ze draait zich om.

'Ja, Erik zit vast op je te wachten.' Het klinkt zo bitter dat Annemarie, de deurknop al in de hand, zich toch weer omdraait.

Mieke huilt.

'Wil je praten?'

En dan, alsof er een dam doorbreekt, begint Mieke te praten. Eerst onsamenhangend, van alles door elkaar. Annemarie is op een punt van een stoel gaan zitten. Ze luistert.

Eindelijk is Mieke stil.

'En ik was nog wel zo jaloers op jou.'

Een poosje blijft het stil.

'Waarom jaloers?'

Annemarie twijfelt. Moet ze Mieke nu met haar zorgen opzadelen? Die lijken nu opeens toch wel klein, vergeleken bij Miekes verhaal.

Hoewel, klein ... En dan vertelt ze van haar miskramen, haar verdriet en verlangen.

Mieke luistert. Dringt het ook tot haar door?

Annemarie weet het niet. Wanneer ze uitgesproken is, blijft het weer stil.

'Ik moet maar eens gaan.'

Annemarie staat op. Dan komt ook Mieke omhoog.

'Sterkte jij! En bedankt dat je naar me hebt geluisterd. Maar vergeet het ook maar weer. Ga maar gauw naar Erik.'

Nu klinkt het niet bitter, maar wel eenzaam, denkt Annemarie.

'Jij ook heel veel sterkte! Als ik iets kan doen ...'

Mieke knikt. Dan gaat de deur dicht.

Annemarie loopt naar haar auto. Het is inmiddels donker geworden. Ze kijkt op haar horloge. Ze schrikt. Erik is vast ongerust. Ze pakt haar mobieltje, zet het aan en drukt het nummer van haar huis.

Ze hoort zelf dat haar stem rustig, bijna blij klinkt als ze zegt: 'Ja, met mij; ik kom er aan.'

32

EMMA ZIT IN DE AUTO. ZE KOMT VAN EEN AFSPRAAK IN UTRECHT. VOORDAT ze weer in de auto stapte, heeft ze Mieke gebeld.

'Mieke, ben je thuis? Dan kom ik over een halfuurtje. Ik neem wel iets van de chinees mee voor ons allebei, is dat goed? Dan zie ik je straks.'

Nu rijdt ze de stad uit.

'Eigenlijk zou ik niet naar Mieke moeten gaan, maar naar Ed,' denkt ze. Maar ja, ze zien haar aankomen in dat ziekenhuis!

Maar ze is zo kwaad op haar broer. Hoe haalt hij het in zijn hoofd? Trouwen, een kind op de wereld zetten en dan bedenken dat je toch eigenlijk homoseksueel bent! Hoe heeft hij dat ooit kunnen doen: trouwen, terwijl je zelf weet dat je zo in elkaar zit? Natuurlijk, het had een hoop ellende gegeven als hij er eerlijk voor uit was gekomen. Moest je net pa hebben! Hel en verdoemenis zou hij erbij hebben gehaald! Waarschijnlijk zou hij zijn zoon het huis uit gezet hebben. Maar oké, dan was hij wel eerlijk geweest. Terwijl nu? Daar zit Mieke met haar kind en een hoop ellende en verdriet. Nee, zij heeft er geen goed woord voor over. Laf is Ed!

Van maatje heeft ze gehoord dat Mieke helemaal geen contact wil met Ed. Nou, daar kan ze inkomen!

Ruim een half uur later stopt ze voor Miekes huis. Ze pakt het pakket van de Chinees van de voorbank en sluit de auto af. Wanneer ze bij de voordeur is, gaat die al open.

'Emma, wat fijn dat je komt. Kom gauw binnen. Was je in de buurt voor je werk of zo?'

'Meid, wat zie jij eruit! Nou, ik hoef niet te vragen hoe het met je gaat. Ja, ik had een vergadering in Utrecht, dus ik dacht: ik ga eens even bij mijn schoonzus langs. En bij m'n kleine neef.' Ze vist Ruben uit de box. 'Zo, jongeman, jij ziet er florissanter uit dan je moeder.'

Ze keert zich weer om naar Mieke. 'Eet jij wel een beetje gezond en op tijd? Je moet wel voor jezelf blijven zorgen, hoor.'

Mieke lacht flauwtjes. Die Emma kan het zo lekker tactisch zeggen. Maar ze weet dat ze het goed bedoelt.

'Mmm, dat gaat wel, hoor. Ik heb niet zo'n trek op het ogenblik.'

'Nou, ik heb nasi en babi pangang bij me. Lijkt dat je wat? En deze kleine man, heeft die al gegeten? O ja, ik zie het al, een leeg potje. Nou, kom er dan maar gezellig bij zitten.'

Ze zet Ruben in zijn kinderstoel bij de tafel. Mieke heeft twee borden en bestek op tafel gelegd. Even later zitten ze samen te eten. Het smaakt Mieke nu toch wel. Met z'n tweeën eten is toch anders dan alleen. De laatste weken heeft ze eigenlijk nauwelijks gekookt. Voor Ruben warmt ze vaak een potje peutervoeding, en zelf neemt ze meestal alleen maar een boterham of een kopje soep.

Emma vertelt wat over haar werk en hoe het thuis allemaal gaat met de meiden. Na het eten brengt Mieke Ruben naar bed, en daarna zet ze koffie. Wanneer ze dan weer samen in de kamer zitten, vraagt Emma:

'Mieke, vertel eens, gaat het een beetje allemaal?'

Ze haalt haar schouders op.

'Het zal wel moeten, hè? Ik denk dat het goed is hier weg te gaan. Het huis zal wel verkocht moeten worden. En dan wil ik hier ook helemaal weg, misschien naar Nieuwegein of Houten. In elk geval naar een andere plaats, waar niemand me kent en niemand weet wat er gebeurd is. Maar ja, ik zit wel met mijn baan. Want ik zal toch moeten blijven werken en wellicht zelfs wat meer moeten gaan werken, in de toekomst. Hier heb ik een fijne oppas, maar als je ergens anders komt, moet je dat ook weer afwachten. Ik weet het allemaal nog niet goed. Eerst moet de scheiding maar achter de rug zijn. Dat zal ook wel een stuk rust geven, denk ik.'

'Heb je wel contact met Ed?'

'Nee, helemaal niet. Dat kan ik niet. Het is zo dubbel allemaal. Ik houd nog zo van hem en tegelijkertijd haat ik hem bijna.'

Langzaam lopen er tranen uit haar ogen.

'Ik weet het allemaal niet meer, Emma. Ik ben zo moe.'

'Van hem houden? De schoft! Dat verdient hij echt niet, Mieke. Kom op! Meneer trouwt, maakt een kindje en bedenkt dat hij toch liever een man heeft.'

'Zo simpel is het natuurlijk niet, Emma. Hij heeft het weg willen stoppen, er jaren tegen gevochten, maar nu eindelijk verloren. Ik begrijp het ook niet, maar ik geloof dat hij het zo nooit heeft gewild.'

'Laat me niet lachen! Mieke, het komt gewoon allemaal door dat strenge geloof van pa. En natuurlijk de lafheid van Ed. Hij is zo geboren, dat geloof ik wel. Nou, dan kan hij daar dus niks aan doen en had hij daar gewoon voor moeten uitkomen. Niet nu, maar toen hij twintig was. Maar hij heeft zich laten aanpraten dat het zonde was en dus niet mocht. Nou, je ziet wat ervan gekomen is: dit.'

Mieke schudt het hoofd.

'Nee,' zegt ze, 'nee, zo eenvoudig is dat niet. Waarom Ed zo is, weet ik niet. Maar ik geloof ook dat het niet is zoals God bedoeld heeft. Daarom begrijp ik wel dat het heel moeilijk voor hem was. Je moet niet zo hard over hem oordelen. Ik denk dat het voor hem zelf ook vreselijk moeilijk is allemaal. Maar voor mij ook ...'

Even blijft het stil.

'Hoor mij nou,' denkt Mieke. 'Zit ik hem nou te verdedigen?'

'Zeg eens eerlijk, Mieke, kun je nou nog wat met je geloof in God? Heb je ook niet het gevoel dat daarin eigenlijk de oorzaak ligt van al deze ellende? Als de homofilie niet zo afgekeurd zou worden vanuit dat geloof, zou dit toch allemaal nooit gebeurd zijn?'

'Ik denk dat je het nu uit een verkeerde hoek bekijkt. Een mens heeft toch zijn eigen verantwoordelijkheid? Als Ed om welke reden dan ook zijn geaardheid niet wilde of kon accepteren, had hij toch de conclusie moeten trekken niet te trouwen? Daar kun je God toch niet de schuld van geven? Ik heb wel een heleboel waaroms, ook naar God, ik ben soms ook heel boos op God, maar op een of andere manier kan ik ook niet zonder Hem. Ik vind het allemaal zo vreselijk moeilijk. Ik weet ook niet hoe ik verder moet, Emma. Soms is het net een boze droom. Maar ik word maar niet wakker ...'

Emma schudt het hoofd.

'Nou, sorry hoor, ik zie het toch heel anders dan jij. Maar wat heb je daaraan? Achteruit kijken helpt niet; je moet vooruit. En dat zal moeilijk zijn, maar een stukje gezonde woede tegenover Ed zal je meer helpen dan dat je ook nog eens medelijden met hem hebt. Kom op, Mieke! Het is mijn broer, maar ik heb hier echt geen enkel begrip voor, laat staan medelijden. Hij heeft het zichzelf allemaal aangedaan, en jou erbij! Houd dat nou maar voor ogen.'

Mieke zegt niet veel meer. Eigenlijk is dat wat Emma zegt, precies hetgene wat zij al die weken heeft gezegd en gedacht. Maar op een of andere manier lijkt het toch niet te kloppen nu Emma het uitspreekt.

'Ik weet het allemaal niet zo goed meer. Ik geloof dat ik er steeds meer achter kom, dat zwart nooit helemaal zwart, en wit nooit helemaal wit is. Ik weet dat Ed en ik niet meer samen verder kunnen, maar ik weet niet, hoe ik zonder hem verder moet.'

Emma staat op.

'Ik moet eens gaan, Miek. Voordat ik nou weer eens thuis ben ...

Denk nog eens na over wat ik gezegd heb. Heb niet te veel medelijden met Ed. Heus, dat verdient hij niet. Kom op voor jezelf, Mieke! Je hebt alle recht om kwaad te zijn.'

'Bedankt voor je komst. Fijn om met je te praten. En ja, ik zal zeker nog nadenken over ons gesprek. En als je nog eens in de buurt komt, altijd welkom. Dat weet je.'

Voordat Emma de deur uit gaat, zegt ze: 'Pas je een beetje op jezelf? Aan een zieke moeder heeft Ruben al helemaal niks. Trouwens, eind van de week begint de kerstvakantie zeker? Denk er maar eens over of je zin hebt om met de kerstdagen bij ons te komen. Je bent welkom. En onze meiden vinden het ook geweldig als Ruben en jij er zijn. Dat weet je.'

'Bedankt! Ik zal erover nadenken. Je hoort het nog wel.'

Dan doet ze deur achter Emma dicht.

Nadenken! Ja, dat doet ze zeker. En dan vooral over het gesprek dat ze had met Emma. Wanneer ze in bed ligt, maalt steeds dat gesprek door haar hoofd. Het duurt lang voordat ze in slaap valt.

De volgende dag kost het haar nog meer moeite dan anders het hoofd erbij te houden op haar werk. De kinderen zijn druk. Er moet geoefend worden voor de kerstviering. En de kleuters zijn duidelijk aan vakantie toe aan het eind van de onrustige decembermaand. Mieke is blij als ze naar huis kan gaan.

Ruben is wat hangerig. Er komen tandjes door, en daardoor huilt hij veel. Wanneer hij dan ook eindelijk in bed ligt, is ze doodmoe. Op zulke momenten dringt het tot haar door dat ze alleen staat voor de verzorging en opvoeding van Ruben. En dat zal steeds zo zijn in de jaren die voor haar liggen.

's Avonds belt haar moeder.

'Mieke, kom je met Kerst bij ons? Pappa kan je komen halen, en dan blijf je zo lang je wilt logeren. Je hebt toch vakantie.'

'Nee, mam, ik blijf liever gewoon thuis. Emma vroeg ook al of we komen. Ik hoop dat je het niet erg vindt, maar laat ons maar lekker rustig hier. Ik ben zo moe; ik wil alleen maar uitrusten.'

'Dat kun je hier toch beter doen? Thuis moet je toch weer zorgen en koken en zo, en hier kunnen we ook helpen met de verzorging van Ruben en kun je eens lekker uitslapen.'

'Ik zal er nog wel eens over denken, maar reken er maar niet op. Ik zal toch moeten leren voor Ruben en mezelf te zorgen zonder hulp van anderen. Sorry, mam.'

'Je moet doen wat je zelf het beste vindt. Maar denk er nog eens over. En als je een dag wilt komen, is dat natuurlijk ook goed. En, Mieke ... moet Ed ook niet een gedeelte van de feestdagen Ruben bij zich hebben?'

'Ik weet het allemaal nog niet, hoor. Dat moet nog geregeld worden. Mam, ik laat je nog wel horen hoe of wat. Oké?'

Dan legt ze neer.

O, die feestdagen! Waren ze maar voorbij.

Ze pakt nu pas de post die vandaag gekomen is. Een paar rekeningen, een giroafschrift en een brief. Van Ed! Ze scheurt de envelop open en leest het briefje. Ze zucht en legt het naast zich neer. Ja hoor, dat was natuurlijk te verwachten. Ed vraagt inderdaad of hij wellicht één van de kerstdagen Ruben kan komen halen om met hem naar zijn moeder te gaan. Mieke is getroffen door de bijna smekende toon van het briefje. Hij mist zijn kind. Irritatie en medelijden komen tegelijk in haar naar boven. Wat moet ze hiermee? Ach, ze gaat eerst naar bed; ze is zo moe. Morgen zal ze hierover nadenken.

33

ZE HEEFT EEN PAAR UUR GESLAPEN WANNEER ZE WAKKER SCHRIKT. ZE HEEFT
gedroomd. Ed was er, en alles was zoals het zijn moest. Ze zaten samen
op het strand, en Ruben speelde vlak bij hen in het zand. Hij was al wat
groter, zeker twee, tweeënhalf jaar. Opeens kwam er een grote golf en
sloeg over hen heen. Toen hij terug de zee in spoelde, sleurde hij Ed mee.
Ruben zat nog steeds met zijn emmertje en schep rustig aan haar voeten,
maar Ed verdween met de golf. Ze hoorde hem schreeuwen. En van die
schreeuw werd ze wakker. Het geluid klinkt nog na in haar oren terwijl
ze rechtop in bed zit.

Hoort ze echt iets? Ruben? Ze stapt uit bed en loopt naar zijn kamertje.
Zacht gaat ze naar binnen. Hij slaapt rustig.

Ze gaat weer terug in bed. Haar hart bonkt. Ze ligt op haar rug en zo
gauw ze haar ogen dichtdoet, komen de beelden terug. Ze ziet weer hoe
Ed door de zee wordt meegesleurd en hoort hem weer schreeuwen.

Ze blijft stil liggen en langzaam wordt ze rustig. Maar ze is klaarwakker.
Ed, ach Ed! Betekent die droom iets? Ze weet het niet. Maar de angst-
schreeuw van Ed blijft in haar hoofd klinken, heeft iets bij haar losge-
maakt.

Ze moet weer denken aan het gesprek met Emma. Ze voelt weer haar
verbazing toen ze merkte dat ze Ed zat te verdedigen. Juist op de punten
waarop ze hem zelf zo veroordeelde. Het was alsof ze, toen Emma zo
hard over hem sprak, opeens voelde dat het niet klopte. Zelf had ze hem
veroordeeld, schuldig verklaard. Totdat Emma het uitsprak.

Schuldig? Wat is schuldig? Wie is schuldig? Ed? Vader Smit?

'Wie zonder zonde is, werpe de eerste steen.'

Waarom moet ze daar nu opeens aan denken? Kan ze wel spreken van
schuld? Pijn! Ja, dat is het. Pijn overspoelt haar. Ze huilt. De tranen
nemen haar pijn niet weg, maar het is alsof alle bitterheid uit haar weg-
spoelt.

Ze huilt om Ed, om alles wat ze hadden en wat nu voorbij is. De rest van
de nacht ligt ze wakker. Haar hoofd is heel helder. Deze nacht is om te
denken, niet om te begrijpen, wel om te aanvaarden. En daar zullen

steeds weer andere nachten en dagen voor nodig zijn. Voordat de wekker afloopt, staat ze op. Een nieuwe dag met pijn, intense pijn. Maar zonder bitterheid.